CHINESE NAMES, SURI
LOCATIONS & ADDRI
中国大陆地址集

BEIJING MUNICIPALITY - PART 9
北京直辖市

ZIYUE TANG
汤子玥

ACKNOWLEDGEMENT

I am deeply indebted to my friends and family members to support me throughout my life. Without their invaluable love and guidance, this work wouldn't have been possible.

Thank you

Ziyue Tang

汤子玥

PREFACE

The book introduces foreigner students to the Chinese names along with locations and addresses from the **Beijing** Municipality of China (中国北京直辖市). The book contains 150 entries (names, addresses) explained with simplified Chinese characters, pinyin and English.

Chinese names follow the standard convention where the given name is written after the surname. For example, in 王威 (Wang Wei), Wang is the surname, and Wei is the given name. Further, the surnames are generally made of one (王) or two characters (司马). Similarly, the given names are also made of either one or two characters. For example, 司马威 (Sima Wei) is a three character Chinese name suitable for men. 司马威威 is a four character Chinese name.

Chinese addresses are comprised of different administrative units that start with the largest geographic entity (country) and continue to the smallest entity (county, building names, room number). For example, a typical address in Nanjing city (capital of Jiangsu province) would look like 江苏省南京市清华路 28 栋 520 室 (Jiāngsū shěng nánjīng shì qīnghuá lù 28 dòng 520 shì; Room 520, Building 28, Qinghua Road, Nanjing City, Jiangsu Province).

CONTENTS

CHAPTER 1: NAME, SURNAME & ADDRESSES (1-30)

1201。姓名: 司空秀自

住址（家庭）：中国北京市海淀区星刚路 903 号仓陆公寓 38 层 946 室（邮政编码：146098）。联系电话：37122933。电子邮箱：jywqu@nvuecjwr.cn

Zhù zhǐ: Sīkōng Xiù Zì Zhōng Guó Běijīng Shì Hǎidiàn Qū Xīng Gāng Lù 903 Hào Cāng Lù Gōng Yù 38 Céng 946 Shì (Yóuzhèng Biānmǎ：146098). Liánxì Diànhuà：37122933. Diànzǐ Yóuxiāng：jywqu@nvuecjwr.cn

Xiu Zi Sikong, Room# 946, Floor# 38, Cang Lu Apartment, 903 Xing Gang Road, Haidian District, Beijing, China. Postal Code: 146098. Phone Number：37122933. E-mail：jywqu@nvuecjwr.cn

1202。姓名: 沙仓俊

住址（医院）：中国北京市东城区坤豹路 221 号汉翰医院（邮政编码：718088）。联系电话：91406395。电子邮箱：cagtn@pelowvqy.health.cn

Zhù zhǐ: Shā Cāng Jùn Zhōng Guó Běijīng Shì Dōng Chéng Qū Kūn Bào Lù 221 Hào Hàn Hàn Yī Yuàn (Yóuzhèng Biānmǎ：718088). Liánxì Diànhuà：91406395. Diànzǐ Yóuxiāng：cagtn@pelowvqy.health.cn

Cang Jun Sha, Han Han Hospital, 221 Kun Bao Road, Dongcheng Area, Beijing, China. Postal Code: 718088. Phone Number：91406395. E-mail：cagtn@pelowvqy.health.cn

1203。姓名: 尹队宝

住址（机场）：中国北京市门头沟区先涛路 345 号北京游水国际机场（邮政编码：648109）。联系电话：26130720。电子邮箱：mtyqi@bfjoveid.airports.cn

Zhù zhǐ: Yǐn Duì Bǎo Zhōng Guó Běijīng Shì Méntóugōu Qū Xiān Tāo Lù 345 Hào Běijīng Yóu Shuǐ Guó Jì Jī Chǎng (Yóuzhèng Biānmǎ：648109). Liánxì Diànhuà：26130720. Diànzǐ Yóuxiāng：mtyqi@bfjoveid.airports.cn

Dui Bao Yin, Beijing You Shui International Airport, 345 Xian Tao Road, Mentougou District, Beijing, China. Postal Code: 648109. Phone Number：26130720. E-mail：mtyqi@bfjoveid.airports.cn

1204。姓名: 曾愈焯

住址（寺庙）：中国北京市朝阳区秀奎路 502 号愈洵寺（邮政编码：301609）。联系电话：53281077。电子邮箱：gojak@wemicsdh.god.cn

Zhù zhǐ: Zēng Yù Zhuō Zhōng Guó Běijīng Shì Zhāoyáng Qū Xiù Kuí Lù 502 Hào Yù Xún Sì (Yóuzhèng Biānmǎ：301609). Liánxì Diànhuà：53281077. Diànzǐ Yóuxiāng：gojak@wemicsdh.god.cn

Yu Zhuo Zeng, Yu Xun Temple, 502 Xiu Kui Road, Chaoyang District, Beijing, China. Postal Code: 301609. Phone Number：53281077. E-mail：gojak@wemicsdh.god.cn

1205。姓名: 霍白桥

住址（公园）：中国北京市通州区陆恩路 295 号山先公园（邮政编码：508219）。联系电话：67750813。电子邮箱：sozjq@eymrunat.parks.cn

Zhù zhǐ: Huò Bái Qiáo Zhōng Guó Běijīng Shì Tōngzhōu Qū Liù Ēn Lù 295 Hào Shān Xiān Gōng Yuán (Yóuzhèng Biānmǎ：508219). Liánxì Diànhuà：67750813. Diànzǐ Yóuxiāng：sozjq@eymrunat.parks.cn

Bai Qiao Huo, Shan Xian Park, 295 Liu En Road, Tongzhou District, Beijing, China. Postal Code: 508219. Phone Number：67750813. E-mail：sozjq@eymrunat.parks.cn

1206。姓名: 燕游继

住址（机场）：中国北京市西城区来熔路 969 号北京来阳国际机场（邮政编码：702952）。联系电话：26103495。电子邮箱：srnkm@hjdltynm.airports.cn

Zhù zhǐ: Yān Yóu Jì Zhōng Guó Běijīng Shì Xī Chéng Qū Lái Róng Lù 969 Hào Běijīng Lái Yáng Guó Jì Jī Chǎng (Yóuzhèng Biānmǎ：702952). Liánxì Diànhuà：26103495. Diànzǐ Yóuxiāng：srnkm@hjdltynm.airports.cn

You Ji Yan, Beijing Lai Yang International Airport, 969 Lai Rong Road, Xicheng District, Beijing, China. Postal Code: 702952. Phone Number：26103495. E-mail：srnkm@hjdltynm.airports.cn

1207。姓名: 甘辙近

住址（博物院）：中国北京市通州区世渊路 303 号北京博物馆（邮政编码：605333）。联系电话：89621347。电子邮箱：lgwzy@ianmqtbv.museums.cn

Zhù zhǐ: Gān Zhé Jìn Zhōng Guó Běijīng Shì Tōngzhōu Qū Shì Yuān Lù 303 Hào Běijīng Bó Wù Guǎn (Yóuzhèng Biānmǎ：605333). Liánxì Diànhuà：89621347. Diànzǐ Yóuxiāng：lgwzy@ianmqtbv.museums.cn

Zhe Jin Gan, Beijing Museum, 303 Shi Yuan Road, Tongzhou District, Beijing, China. Postal Code: 605333. Phone Number：89621347. E-mail：lgwzy@ianmqtbv.museums.cn

1208。姓名: 仲食陆

住址（大学）：中国北京市平谷区冠可大学全汉路 609 号（邮政编码：837379）。联系电话：53042301。电子邮箱：lbwto@fkwptiyg.edu.cn

Zhù zhǐ: Zhòng Yì Liù Zhōng Guó Běijīng Shì Pínggǔ Qū Guān Kě DàxuéQuán Hàn Lù 609 Hào (Yóuzhèng Biānmǎ：837379). Liánxì Diànhuà：53042301. Diànzǐ Yóuxiāng：lbwto@fkwptiyg.edu.cn

Yi Liu Zhong, Guan Ke University, 609 Quan Han Road, Pinggu District, Beijing, China. Postal Code: 837379. Phone Number：53042301. E-mail：lbwto@fkwptiyg.edu.cn

1209。姓名: 昌全维

住址（公司）：中国北京市门头沟区自威路 698 号盛豪有限公司（邮政编码：312823）。联系电话：46488569。电子邮箱：tojak@pvonatrd.biz.cn

Zhù zhǐ: Chāng Quán Wéi Zhōng Guó Běijīng Shì Méntóugōu Qū Zì Wēi Lù 698 Hào Shèng Háo Yǒuxiàn Gōngsī (Yóuzhèng Biānmǎ：312823). Liánxì Diànhuà：46488569. Diànzǐ Yóuxiāng：tojak@pvonatrd.biz.cn

Quan Wei Chang, Sheng Hao Corporation, 698 Zi Wei Road, Mentougou District, Beijing, China. Postal Code: 312823. Phone Number：46488569. E-mail：tojak@pvonatrd.biz.cn

1210。姓名: 孙福尚

住址（公园）：中国北京市房山区盛歧路 443 号铁楚公园（邮政编码：701041）。联系电话：29851016。电子邮箱：piumf@scuixhom.parks.cn

Zhù zhǐ: Sūn Fú Shàng Zhōng Guó Běijīng Shì Fáng Shān Qū Shèng Qí Lù 443 Hào Tiě Chǔ Gōng Yuán (Yóuzhèng Biānmǎ：701041). Liánxì Diànhuà：29851016. Diànzǐ Yóuxiāng：piumf@scuixhom.parks.cn

Fu Shang Sun, Tie Chu Park, 443 Sheng Qi Road, Fangshan District, Beijing, China. Postal Code: 701041. Phone Number：29851016. E-mail：piumf@scuixhom.parks.cn

1211。姓名: 宁奎国

住址（家庭）：中国北京市顺义区食威路 756 号轼禹公寓 31 层 731 室（邮政编码：673115）。联系电话：14469289。电子邮箱：ekupx@eoqvksyl.cn

1228。姓名: 曲陆员

住址（寺庙）：中国北京市大兴区沛昌路 856 号盛黎寺（邮政编码：586226）。联系电话：78691982。电子邮箱：ywfzn@lkochevn.god.cn

Zhù zhǐ: Qū Liù Yuán Zhōng Guó Běijīng Shì Dàxīng Qū Pèi Chāng Lù 856 Hào Shèng Lí Sì (Yóuzhèng Biānmǎ：586226). Liánxì Diànhuà：78691982. Diànzǐ Yóuxiāng：ywfzn@lkochevn.god.cn

Liu Yuan Qu, Sheng Li Temple, 856 Pei Chang Road, Daxing District, Beijing, China. Postal Code: 586226. Phone Number：78691982. E-mail：ywfzn@lkochevn.god.cn

1229。姓名: 第五全桥

住址（家庭）：中国北京市昌平区继稼路 180 号九食公寓 44 层 964 室（邮政编码：330151）。联系电话：60528211。电子邮箱：pwxds@ekhpofzw.cn

Zhù zhǐ: Dìwǔ Quán Qiáo Zhōng Guó Běijīng Shì Chāngpíng Qū Jì Jià Lù 180 Hào Jiǔ Sì Gōng Yù 44 Céng 964 Shì (Yóuzhèng Biānmǎ：330151). Liánxì Diànhuà：60528211. Diànzǐ Yóuxiāng：pwxds@ekhpofzw.cn

Quan Qiao Diwu, Room# 964, Floor# 44, Jiu Si Apartment, 180 Ji Jia Road, Changping District, Beijing, China. Postal Code: 330151. Phone Number：60528211. E-mail：pwxds@ekhpofzw.cn

1230。姓名: 云珏汉

住址（酒店）：中国北京市丰台区斌石路 805 号成全酒店（邮政编码：292509）。联系电话：59233165。电子邮箱：oqzfx@lntdvzyb.biz.cn

Zhù zhǐ: Yún Jué Hàn Zhōng Guó Běijīng Shì Fēngtái Qū Bīn Dàn Lù 805 Hào Chéng Quán Jiǔ Diàn (Yóuzhèng Biānmǎ：292509). Liánxì Diànhuà：59233165. Diànzǐ Yóuxiāng：oqzfx@lntdvzyb.biz.cn

Jue Han Yun, Cheng Quan Hotel, 805 Bin Dan Road, Fengtai District, Beijing, China. Postal Code: 292509. Phone Number：59233165. E-mail：oqzfx@lntdvzyb.biz.cn

1231。姓名: 程土珏

住址（湖泊）：中国北京市通州区胜澜路 793 号中仲湖（邮政编码：784457）。联系电话：11580744。电子邮箱：owxer@axtiwpkz.lakes.cn

Zhù zhǐ: Chéng Tǔ Jué Zhōng Guó Běijīng Shì Tōngzhōu Qū Shēng Lán Lù 793 Hào Zhòng Zhòng Hú (Yóuzhèng Biānmǎ：784457). Liánxì Diànhuà：11580744. Diànzǐ Yóuxiāng：owxer@axtiwpkz.lakes.cn

Tu Jue Cheng, Zhong Zhong Lake, 793 Sheng Lan Road, Tongzhou District, Beijing, China. Postal Code: 784457. Phone Number：11580744. E-mail：owxer@axtiwpkz.lakes.cn

1232。姓名: 东来涛

住址（博物院）：中国北京市平谷区屹己路 362 号北京博物馆（邮政编码：404257）。联系电话：19081746。电子邮箱：cngrx@pishnowj.museums.cn

Zhù zhǐ: Dōng Lái Tāo Zhōng Guó Běijīng Shì Pínggǔ Qū Yì Jǐ Lù 362 Hào Běijīng Bó Wù Guǎn (Yóuzhèng Biānmǎ：404257). Liánxì Diànhuà：19081746. Diànzǐ Yóuxiāng：cngrx@pishnowj.museums.cn

Lai Tao Dong, Beijing Museum, 362 Yi Ji Road, Pinggu District, Beijing, China. Postal Code: 404257. Phone Number：19081746. E-mail：cngrx@pishnowj.museums.cn

1233。姓名: 韶居食

住址（家庭）：中国北京市昌平区葛铁路 721 号珏国公寓 42 层 989 室（邮政编码：590490）。联系电话：25073996。电子邮箱：lfrbn@zproejnx.cn

Zhù zhǐ: Sháo Jū Shí Zhōng Guó Běijīng Shì Chāngpíng Qū Gé Tiě Lù 721 Hào Jué Guó Gōng Yù 42 Céng 989 Shì (Yóuzhèng Biānmǎ：590490). Liánxì Diànhuà：25073996. Diànzǐ Yóuxiāng：lfrbn@zproejnx.cn

Ju Shi Shao, Room# 989, Floor# 42, Jue Guo Apartment, 721 Ge Tie Road, Changping District, Beijing, China. Postal Code: 590490. Phone Number：25073996. E-mail：lfrbn@zproejnx.cn

1234。姓名: 亢世居

住址（医院）：中国北京市石景山区仲亭路 225 号炯凤医院（邮政编码：873140）。联系电话：39025539。电子邮箱：euxom@wrztgkan.health.cn

Zhù zhǐ: Kàng Shì Jū Zhōng Guó Běijīng Shì Shíjǐngshān Qū Zhòng Tíng Lù 225 Hào Jiǒng Fēng Yī Yuàn（Yóuzhèng Biānmǎ：873140). Liánxì Diànhuà：39025539. Diànzǐ Yóuxiāng：euxom@wrztgkan.health.cn

Shi Ju Kang, Jiong Feng Hospital, 225 Zhong Ting Road, Shijingshan District, Beijing, China. Postal Code: 873140. Phone Number：39025539. E-mail：euxom@wrztgkan.health.cn

1235。姓名: 单阳磊

住址（寺庙）：中国北京市房山区兆院路 750 号沛豹寺（邮政编码：957061）。联系电话：58389522。电子邮箱：pjyri@jbvwgztk.god.cn

Zhù zhǐ: Shàn Yáng Lěi Zhōng Guó Běijīng Shì Fáng Shān Qū Zhào Yuàn Lù 750 Hào Bèi Bào Sì（Yóuzhèng Biānmǎ：957061). Liánxì Diànhuà：58389522. Diànzǐ Yóuxiāng：pjyri@jbvwgztk.god.cn

Yang Lei Shan, Bei Bao Temple, 750 Zhao Yuan Road, Fangshan District, Beijing, China. Postal Code: 957061. Phone Number：58389522. E-mail：pjyri@jbvwgztk.god.cn

1236。姓名: 佘立乙

住址（机场）：中国北京市大兴区尚全路 434 号北京不尚国际机场（邮政编码：144221）。联系电话：17831250。电子邮箱：avyer@ygmdbclu.airports.cn

Zhù zhǐ: Shé Lì Yǐ Zhōng Guó Běijīng Shì Dàxīng Qū Shàng Quán Lù 434 Hào Běijīng Bù Shàng Guó Jì Jī Chǎng（Yóuzhèng Biānmǎ：144221). Liánxì Diànhuà：17831250. Diànzǐ Yóuxiāng：avyer@ygmdbclu.airports.cn

Li Yi She, Beijing Bu Shang International Airport, 434 Shang Quan Road, Daxing District, Beijing, China. Postal Code: 144221. Phone Number：17831250. E-mail：avyer@ygmdbclu.airports.cn

1237。姓名: 鞠钢世

住址（广场）：中国北京市门头沟区先化路 471 号超稼广场（邮政编码：536133）。联系电话：51612782。电子邮箱：xbcnh@nkvylmto.squares.cn

Zhù zhǐ: Jū Gāng Shì Zhōng Guó Běijīng Shì Méntóugōu Qū Xiān Huā Lù 471 Hào Chāo Jià Guǎng Chǎng（Yóuzhèng Biānmǎ：536133). Liánxì Diànhuà：51612782. Diànzǐ Yóuxiāng：xbcnh@nkvylmto.squares.cn

Gang Shi Ju, Chao Jia Square, 471 Xian Hua Road, Mentougou District, Beijing, China. Postal Code: 536133. Phone Number：51612782. E-mail：xbcnh@nkvylmto.squares.cn

1238。姓名: 邱茂进

住址（湖泊）：中国北京市昌平区乙鸣路 829 号奎洵湖（邮政编码：649540）。联系电话：88152654。电子邮箱：qyzxh@xlocniha.lakes.cn

Zhù zhǐ: Qiū Mào Jìn Zhōng Guó Běijīng Shì Chāngpíng Qū Yǐ Míng Lù 829 Hào Kuí Xún Hú（Yóuzhèng Biānmǎ：649540). Liánxì Diànhuà：88152654. Diànzǐ Yóuxiāng：qyzxh@xlocniha.lakes.cn

Mao Jin Qiu, Kui Xun Lake, 829 Yi Ming Road, Changping District, Beijing, China. Postal Code: 649540. Phone Number：88152654. E-mail：qyzxh@xlocniha.lakes.cn

1239。姓名: 王楚九

住址（医院）：中国北京市通州区继腾路 885 号稼锤医院（邮政编码：153683）。联系电话：17359049。电子邮箱：jrlyc@rqubhpzm.health.cn

Zhù zhǐ: Wáng Chǔ Jiǔ Zhōng Guó Běijīng Shì Tōngzhōu Qū Jì Téng Lù 885 Hào Jià Chuí Yī Yuàn（Yóuzhèng Biānmǎ：153683). Liánxì Diànhuà：17359049. Diànzǐ Yóuxiāng：jrlyc@rqubhpzm.health.cn

Chu Jiu Wang, Jia Chui Hospital, 885 Ji Teng Road, Tongzhou District, Beijing, China. Postal Code: 153683. Phone Number：17359049. E-mail：jrlyc@rqubhpzm.health.cn

1240。姓名: 龚不冕

住址（湖泊）：中国北京市朝阳区红秀路 884 号智乐湖（邮政编码：958750）。联系电话：18463348。电子邮箱：whzug@jrluswob.lakes.cn

Zhù zhǐ: Gōng Bù Miǎn Zhōng Guó Běijīng Shì Zhāoyáng Qū Hóng Xiù Lù 884 Hào Zhì Lè Hú（Yóuzhèng Biānmǎ：958750). Liánxì Diànhuà：18463348. Diànzǐ Yóuxiāng：whzug@jrluswob.lakes.cn

Bu Mian Gong, Zhi Le Lake, 884 Hong Xiu Road, Chaoyang District, Beijing, China. Postal Code: 958750. Phone Number：18463348. E-mail：whzug@jrluswob.lakes.cn

1241。姓名: 洪臻化

住址（机场）：中国北京市房山区岐帆路 897 号北京南汉国际机场（邮政编码：149349）。联系电话：68822050。电子邮箱：skutc@jqcpervx.airports.cn

Zhù zhǐ: Hóng Zhēn Huà Zhōng Guó Běijīng Shì Fáng Shān Qū Qí Fān Lù 897 Hào Běijīng Nán Hàn Guó Jì Jī Chǎng（Yóuzhèng Biānmǎ：149349). Liánxì Diànhuà：68822050. Diànzǐ Yóuxiāng：skutc@jqcpervx.airports.cn

Zhen Hua Hong, Beijing Nan Han International Airport, 897 Qi Fan Road, Fangshan District, Beijing, China. Postal Code: 149349. Phone Number：68822050. E-mail：skutc@jqcpervx.airports.cn

1242。姓名: 孔先黎

住址（湖泊）：中国北京市房山区渊鸣路 305 号臻钢湖（邮政编码：160494）。联系电话：77535692。电子邮箱：rtaig@fvtkhxqy.lakes.cn

Zhù zhǐ: Kǒng Xiān Lí Zhōng Guó Běijīng Shì Fáng Shān Qū Yuān Míng Lù 305 Hào Zhēn Gāng Hú (Yóuzhèng Biānmǎ：160494). Liánxì Diànhuà：77535692. Diànzǐ Yóuxiāng：rtaig@fvtkhxqy.lakes.cn

Xian Li Kong, Zhen Gang Lake, 305 Yuan Ming Road, Fangshan District, Beijing, China. Postal Code: 160494. Phone Number：77535692. E-mail：rtaig@fvtkhxqy.lakes.cn

1243。姓名: 管陶谢

住址（寺庙）：中国北京市房山区陆译路 408 号楚阳寺（邮政编码：241682）。联系电话：27755951。电子邮箱：zmgpu@dlsjbnwe.god.cn

Zhù zhǐ: Guǎn Táo Xiè Zhōng Guó Běijīng Shì Fáng Shān Qū Liù Yì Lù 408 Hào Chǔ Yáng Sì (Yóuzhèng Biānmǎ：241682). Liánxì Diànhuà：27755951. Diànzǐ Yóuxiāng：zmgpu@dlsjbnwe.god.cn

Tao Xie Guan, Chu Yang Temple, 408 Liu Yi Road, Fangshan District, Beijing, China. Postal Code: 241682. Phone Number：27755951. E-mail：zmgpu@dlsjbnwe.god.cn

1244。姓名: 阳德锤

住址（家庭）：中国北京市大兴区坚庆路 701 号星超公寓 29 层 973 室（邮政编码：240178）。联系电话：31998208。电子邮箱：kdfhj@uxiezbmg.cn

Zhù zhǐ: Yáng Dé Chuí Zhōng Guó Běijīng Shì Dàxīng Qū Jiān Qìng Lù 701 Hào Xīng Chāo Gōng Yù 29 Céng 973 Shì (Yóuzhèng Biānmǎ：240178). Liánxì Diànhuà：31998208. Diànzǐ Yóuxiāng：kdfhj@uxiezbmg.cn

De Chui Yang, Room# 973, Floor# 29, Xing Chao Apartment, 701 Jian Qing Road, Daxing District, Beijing, China. Postal Code: 240178. Phone Number：31998208. E-mail：kdfhj@uxiezbmg.cn

1245。姓名: 杨铁轶

住址（大学）：中国北京市海淀区奎铭大学科科路 358 号（邮政编码：547789）。联系电话：21911685。电子邮箱：zudbf@nqbsvhmw.edu.cn

Zhù zhǐ: Yáng Tiě Yì Zhōng Guó Běijīng Shì Hǎidiàn Qū Kuí Míng DàxuéKē Kē Lù 358 Hào（Yóuzhèng Biānmǎ：547789). Liánxì Diànhuà：21911685. Diànzǐ Yóuxiāng：zudbf@nqbsvhmw.edu.cn

Tie Yi Yang, Kui Ming University, 358 Ke Ke Road, Haidian District, Beijing, China. Postal Code: 547789. Phone Number：21911685. E-mail：zudbf@nqbsvhmw.edu.cn

1246。姓名: 归石水

住址（寺庙）：中国北京市密云区咚葆路 187 号强领寺（邮政编码：769526）。联系电话：34971446。电子邮箱：swiqp@oyixanrd.god.cn

Zhù zhǐ: Guī Dàn Shuǐ Zhōng Guó Běijīng Shì Mìyún Qū Dōng Bǎo Lù 187 Hào Qiáng Lǐng Sì（Yóuzhèng Biānmǎ：769526). Liánxì Diànhuà：34971446. Diànzǐ Yóuxiāng：swiqp@oyixanrd.god.cn

Dan Shui Gui, Qiang Ling Temple, 187 Dong Bao Road, Miyun District, Beijing, China. Postal Code: 769526. Phone Number：34971446. E-mail：swiqp@oyixanrd.god.cn

1247。姓名: 鞠斌坚

住址（公园）：中国北京市海淀区全庆路 453 号智尚公园（邮政编码：310704）。联系电话：30447762。电子邮箱：gtmoe@djkoztfh.parks.cn

Zhù zhǐ: Jū Bīn Jiān Zhōng Guó Běijīng Shì Hǎidiàn Qū Quán Qìng Lù 453 Hào Zhì Shàng Gōng Yuán （Yóuzhèng Biānmǎ：310704). Liánxì Diànhuà：30447762. Diànzǐ Yóuxiāng：gtmoe@djkoztfh.parks.cn

Bin Jian Ju, Zhi Shang Park, 453 Quan Qing Road, Haidian District, Beijing, China. Postal Code: 310704. Phone Number：30447762. E-mail：gtmoe@djkoztfh.parks.cn

1248。姓名: 窦愈冠

住址（博物院）：中国北京市怀柔区淹源路 948 号北京博物馆（邮政编码：349856）。联系电话：71142057。电子邮箱：qdtkl@zhoklupv.museums.cn

Zhù zhǐ: Dòu Yù Guān Zhōng Guó Běijīng Shì Huáiróu Qū Yān Yuán Lù 948 Hào Běijīng Bó Wù Guǎn （Yóuzhèng Biānmǎ：349856). Liánxì Diànhuà：71142057. Diànzǐ Yóuxiāng：qdtkl@zhoklupv.museums.cn

Yu Guan Dou, Beijing Museum, 948 Yan Yuan Road, Huairou District, Beijing, China. Postal Code: 349856. Phone Number：71142057. E-mail：qdtkl@zhoklupv.museums.cn

1249。姓名: 红盛乐

住址（寺庙）：中国北京市朝阳区嘉嘉路 923 号继谢寺（邮政编码：858724）。联系电话：93913841。电子邮箱：adqog@stomvnhw.god.cn

Zhù zhǐ: Hóng Shèng Lè Zhōng Guó Běijīng Shì Zhāoyáng Qū Jiā Jiā Lù 923 Hào Jì Xiè Sì （Yóuzhèng Biānmǎ：858724). Liánxì Diànhuà：93913841. Diànzǐ Yóuxiāng：adqog@stomvnhw.god.cn

Sheng Le Hong, Ji Xie Temple, 923 Jia Jia Road, Chaoyang District, Beijing, China. Postal Code: 858724. Phone Number：93913841. E-mail：adqog@stomvnhw.god.cn

1250。姓名: 屈领禹

住址（机场）：中国北京市昌平区全宝路 170 号北京科伦国际机场（邮政编码：207070）。联系电话：94376978。电子邮箱：ucwds@mfkonjyu.airports.cn

Zhù zhǐ: Qū Lǐng Yǔ Zhōng Guó Běijīng Shì Chāngpíng Qū Quán Bǎo Lù 170 Hào Běijīng Kē Lún Guó Jì Jī Chǎng（Yóuzhèng Biānmǎ：207070). Liánxì Diànhuà：94376978. Diànzǐ Yóuxiāng：ucwds@mfkonjyu.airports.cn

Ling Yu Qu, Beijing Ke Lun International Airport, 170 Quan Bao Road, Changping District, Beijing, China. Postal Code: 207070. Phone Number：94376978. E-mail：ucwds@mfkonjyu.airports.cn

1251。姓名: 蒲智屹

住址（火车站）：中国北京市海淀区楚臻路 737 号北京站（邮政编码：997348）。联系电话：42029362。电子邮箱：zgibv@ifycpvtb.chr.cn

Zhù zhǐ: Pú Zhì Yì Zhōng Guó Běijīng Shì Hǎidiàn Qū Chǔ Zhēn Lù 737 Hào Běijīng Zhàn（Yóuzhèng Biānmǎ：997348). Liánxì Diànhuà：42029362. Diànzǐ Yóuxiāng：zgibv@ifycpvtb.chr.cn

Zhi Yi Pu, Beijing Railway Station, 737 Chu Zhen Road, Haidian District, Beijing, China. Postal Code: 997348. Phone Number：42029362. E-mail：zgibv@ifycpvtb.chr.cn

1252。姓名: 麻焯刚

住址（博物院）：中国北京市顺义区进郁路 153 号北京博物馆（邮政编码：701654）。联系电话：26499751。电子邮箱：wvrcb@jbmwsite.museums.cn

Zhù zhǐ: Má Zhuō Gāng Zhōng Guó Běijīng Shì Shùnyì Qū Jìn Yù Lù 153 Hào Běijīng Bó Wù Guǎn（Yóuzhèng Biānmǎ：701654). Liánxì Diànhuà：26499751. Diànzǐ Yóuxiāng：wvrcb@jbmwsite.museums.cn

Zhuo Gang Ma, Beijing Museum, 153 Jin Yu Road, Shunyi District, Beijing, China. Postal Code: 701654. Phone Number：26499751. E-mail：wvrcb@jbmwsite.museums.cn

1253。姓名: 羊舌辉亭

住址（寺庙）：中国北京市通州区珂秀路 390 号独发寺（邮政编码：857903）。联系电话：71983904。电子邮箱：pnxbs@fjsxbmhy.god.cn

Zhù zhǐ: Yángshé Huī Tíng Zhōng Guó Běijīng Shì Tōngzhōu Qū Kē Xiù Lù 390 Hào Dú Fā Sì（Yóuzhèng Biānmǎ：857903). Liánxì Diànhuà：71983904. Diànzǐ Yóuxiāng：pnxbs@fjsxbmhy.god.cn

Hui Ting Yangshe, Du Fa Temple, 390 Ke Xiu Road, Tongzhou District, Beijing, China. Postal Code: 857903. Phone Number：71983904. E-mail：pnxbs@fjsxbmhy.god.cn

1254。姓名: 赖焯宽

住址（广场）：中国北京市昌平区宝王路 870 号振原广场（邮政编码：751706）。联系电话：37356980。电子邮箱：osqrp@uofepzlg.squares.cn

Zhù zhǐ: Lài Zhuō Kuān Zhōng Guó Běijīng Shì Chāngpíng Qū Bǎo Wáng Lù 870 Hào Zhèn Yuán Guǎng Chǎng（Yóuzhèng Biānmǎ：751706). Liánxì Diànhuà：37356980. Diànzǐ Yóuxiāng：osqrp@uofepzlg.squares.cn

Zhuo Kuan Lai, Zhen Yuan Square, 870 Bao Wang Road, Changping District, Beijing, China. Postal Code: 751706. Phone Number：37356980. E-mail：osqrp@uofepzlg.squares.cn

1255。姓名: 容陶嘉

住址（火车站）：中国北京市顺义区学亚路 497 号北京站（邮政编码：980943）。联系电话：28984651。电子邮箱：jgxwp@sjqnbclu.chr.cn

Zhù zhǐ: Róng Táo Jiā Zhōng Guó Běijīng Shì Shùnyì Qū Xué Yà Lù 497 Hào Běijīng Zhàn (Yóuzhèng Biānmǎ：980943). Liánxì Diànhuà：28984651. Diànzǐ Yóuxiāng：jgxwp@sjqnbclu.chr.cn

Tao Jia Rong, Beijing Railway Station, 497 Xue Ya Road, Shunyi District, Beijing, China. Postal Code: 980943. Phone Number：28984651. E-mail：jgxwp@sjqnbclu.chr.cn

1256。姓名: 爱坚辙

住址（寺庙）：中国北京市门头沟区谢泽路 429 号铭迅寺（邮政编码：396682）。联系电话：65272593。电子邮箱：qjnft@vrskdbyj.god.cn

Zhù zhǐ: Ài Jiān Zhé Zhōng Guó Běijīng Shì Méntóugōu Qū Xiè Zé Lù 429 Hào Míng Xùn Sì (Yóuzhèng Biānmǎ：396682). Liánxì Diànhuà：65272593. Diànzǐ Yóuxiāng：qjnft@vrskdbyj.god.cn

Jian Zhe Ai, Ming Xun Temple, 429 Xie Ze Road, Mentougou District, Beijing, China. Postal Code: 396682. Phone Number：65272593. E-mail：qjnft@vrskdbyj.god.cn

1257。姓名: 党进际

住址（大学）：中国北京市密云区仓锤大学光顺路 900 号（邮政编码：663381）。联系电话：94978858。电子邮箱：eczih@dlgfjxay.edu.cn

Zhù zhǐ: Dǎng Jìn Jì Zhōng Guó Běijīng Shì Mìyún Qū Cāng Chuí DàxuéGuāng Shùn Lù 900 Hào (Yóuzhèng Biānmǎ：663381). Liánxì Diànhuà：94978858. Diànzǐ Yóuxiāng：eczih@dlgfjxay.edu.cn

Jin Ji Dang, Cang Chui University, 900 Guang Shun Road, Miyun District, Beijing, China. Postal Code: 663381. Phone Number：94978858. E-mail：eczih@dlgfjxay.edu.cn

1258。姓名: 梁汉员

住址（医院）：中国北京市西城区化豪路 502 号愈冠医院（邮政编码：546512）。联系电话：26881791。电子邮箱：echjx@zbxjoart.health.cn

Zhù zhǐ: Liáng Hàn Yuán Zhōng Guó Běijīng Shì Xī Chéng Qū Huā Háo Lù 502 Hào Yù Guàn Yī Yuàn（Yóuzhèng Biānmǎ：546512）. Liánxì Diànhuà：26881791. Diànzǐ Yóuxiāng：echjx@zbxjoart.health.cn

Han Yuan Liang, Yu Guan Hospital, 502 Hua Hao Road, Xicheng District, Beijing, China. Postal Code: 546512. Phone Number：26881791. E-mail：echjx@zbxjoart.health.cn

1259。姓名：笪发轼

住址（酒店）：中国北京市怀柔区发白路 305 号圣鹤酒店（邮政编码：314484）。联系电话：82318123。电子邮箱：shtdl@bfvmuzqe.biz.cn

Zhù zhǐ: Dá Fā Shì Zhōng Guó Běijīng Shì Huáiróu Qū Fā Bái Lù 305 Hào Shèng Hè Jiǔ Diàn（Yóuzhèng Biānmǎ：314484）. Liánxì Diànhuà：82318123. Diànzǐ Yóuxiāng：shtdl@bfvmuzqe.biz.cn

Fa Shi Da, Sheng He Hotel, 305 Fa Bai Road, Huairou District, Beijing, China. Postal Code: 314484. Phone Number：82318123. E-mail：shtdl@bfvmuzqe.biz.cn

1260。姓名：蔚锡熔

住址（公司）：中国北京市石景山区圣磊路 648 号发智有限公司（邮政编码：294412）。联系电话：71641344。电子邮箱：pyhwv@cmniehdj.biz.cn

Zhù zhǐ: Wèi Xī Róng Zhōng Guó Běijīng Shì Shíjǐngshān Qū Shèng Lěi Lù 648 Hào Fā Zhì Yǒuxiàn Gōngsī（Yóuzhèng Biānmǎ：294412）. Liánxì Diànhuà：71641344. Diànzǐ Yóuxiāng：pyhwv@cmniehdj.biz.cn

Xi Rong Wei, Fa Zhi Corporation, 648 Sheng Lei Road, Shijingshan District, Beijing, China. Postal Code: 294412. Phone Number：71641344. E-mail：pyhwv@cmniehdj.biz.cn

CHAPTER 3: NAME, SURNAME & ADDRESSES (61-90)

1261。姓名: 蔺洵宽

住址（寺庙）：中国北京市平谷区迅骥路 805 号豹轼寺（邮政编码：646717）。联系电话：99679996。电子邮箱：naswy@lveinyaf.god.cn

Zhù zhǐ: Lìn Xún Kuān Zhōng Guó Běijīng Shì Pínggǔ Qū Xùn Jì Lù 805 Hào Bào Shì Sì (Yóuzhèng Biānmǎ：646717). Liánxì Diànhuà：99679996. Diànzǐ Yóuxiāng：naswy@lveinyaf.god.cn

Xun Kuan Lin, Bao Shi Temple, 805 Xun Ji Road, Pinggu District, Beijing, China. Postal Code: 646717. Phone Number：99679996. E-mail: naswy@lveinyaf.god.cn

1262。姓名: 伊渊水

住址（大学）：中国北京市房山区恩全大学发秀路 327 号（邮政编码：957686）。联系电话：17168862。电子邮箱：ihxcy@humeplaq.edu.cn

Zhù zhǐ: Yī Yuān Shuǐ Zhōng Guó Běijīng Shì Fáng Shān Qū Ēn Quán DàxuéFā Xiù Lù 327 Hào (Yóuzhèng Biānmǎ：957686). Liánxì Diànhuà：17168862. Diànzǐ Yóuxiāng：ihxcy@humeplaq.edu.cn

Yuan Shui Yi, En Quan University, 327 Fa Xiu Road, Fangshan District, Beijing, China. Postal Code: 957686. Phone Number：17168862. E-mail: ihxcy@humeplaq.edu.cn

1263。姓名: 鲍进辉

住址（公司）：中国北京市大兴区迅不路 769 号尚汉有限公司（邮政编码：612659）。联系电话：21919125。电子邮箱：uzdiy@kopgmtqi.biz.cn

Zhù zhǐ: Bào Jìn Huī Zhōng Guó Běijīng Shì Dàxīng Qū Xùn Bù Lù 769 Hào Shàng Hàn Yǒuxiàn Gōngsī (Yóuzhèng Biānmǎ：612659). Liánxì Diànhuà：21919125. Diànzǐ Yóuxiāng：uzdiy@kopgmtqi.biz.cn

Jin Hui Bao, Shang Han Corporation, 769 Xun Bu Road, Daxing District, Beijing, China. Postal Code: 612659. Phone Number：21919125. E-mail：uzdiy@kopgmtqi.biz.cn

1264。姓名: 连乙臻

住址（广场）：中国北京市怀柔区铁沛路 187 号友兵广场（邮政编码：981272）。联系电话：46513459。电子邮箱：lztxu@xovhgfqd.squares.cn

Zhù zhǐ: Lián Yǐ Zhēn Zhōng Guó Běijīng Shì Huáiróu Qū Fū Bèi Lù 187 Hào Yǒu Bīng Guǎng Chǎng（Yóuzhèng Biānmǎ：981272). Liánxì Diànhuà：46513459. Diànzǐ Yóuxiāng：lztxu@xovhgfqd.squares.cn

Yi Zhen Lian, You Bing Square, 187 Fu Bei Road, Huairou District, Beijing, China. Postal Code: 981272. Phone Number：46513459. E-mail：lztxu@xovhgfqd.squares.cn

1265。姓名: 爱化宽

住址（大学）：中国北京市延庆区涛近大学珂豹路 821 号（邮政编码：150445）。联系电话：71195180。电子邮箱：xflhw@pbikeavm.edu.cn

Zhù zhǐ: Ài Huà Kuān Zhōng Guó Běijīng Shì Yánqìng Qū Tāo Jìn Dàxué Kē Bào Lù 821 Hào（Yóuzhèng Biānmǎ：150445). Liánxì Diànhuà：71195180. Diànzǐ Yóuxiāng：xflhw@pbikeavm.edu.cn

Hua Kuan Ai, Tao Jin University, 821 Ke Bao Road, Yanqing District, Beijing, China. Postal Code: 150445. Phone Number：71195180. E-mail：xflhw@pbikeavm.edu.cn

1266。姓名: 申源桥

住址（公园）：中国北京市顺义区谢熔路 896 号迅惟公园（邮政编码：624230）。联系电话：70207443。电子邮箱：bjovl@qdtwyepl.parks.cn

Zhù zhǐ: Shēn Yuán Qiáo Zhōng Guó Běijīng Shì Shùnyì Qū Xiè Róng Lù 896 Hào Xùn Wéi Gōng Yuán (Yóuzhèng Biānmǎ：624230). Liánxì Diànhuà：70207443. Diànzǐ Yóuxiāng：bjovl@qdtwyepl.parks.cn

Yuan Qiao Shen, Xun Wei Park, 896 Xie Rong Road, Shunyi District, Beijing, China. Postal Code: 624230. Phone Number：70207443. E-mail：bjovl@qdtwyepl.parks.cn

1267。姓名: 井学德

住址（家庭）：中国北京市海淀区谢翰路 960 号舟焯公寓 44 层 696 室（邮政编码：127681）。联系电话：97193626。电子邮箱：ipwuh@zxmqhbgp.cn

Zhù zhǐ: Jǐng Xué Dé Zhōng Guó Běijīng Shì Hǎidiàn Qū Xiè Hàn Lù 960 Hào Zhōu Chāo Gōng Yù 44 Céng 696 Shì (Yóuzhèng Biānmǎ：127681). Liánxì Diànhuà：97193626. Diànzǐ Yóuxiāng：ipwuh@zxmqhbgp.cn

Xue De Jing, Room# 696, Floor# 44, Zhou Chao Apartment, 960 Xie Han Road, Haidian District, Beijing, China. Postal Code: 127681. Phone Number：97193626. E-mail：ipwuh@zxmqhbgp.cn

1268。姓名: 姚斌钦

住址（大学）：中国北京市延庆区计舟大学顺民路 715 号（邮政编码：478157）。联系电话：50376399。电子邮箱：yeaqb@ytwqexls.edu.cn

Zhù zhǐ: Yáo Bīn Qīn Zhōng Guó Běijīng Shì Yánqìng Qū Jì Zhōu DàxuéShùn Mín Lù 715 Hào (Yóuzhèng Biānmǎ：478157). Liánxì Diànhuà：50376399. Diànzǐ Yóuxiāng：yeaqb@ytwqexls.edu.cn

Bin Qin Yao, Ji Zhou University, 715 Shun Min Road, Yanqing District, Beijing, China. Postal Code: 478157. Phone Number：50376399. E-mail：yeaqb@ytwqexls.edu.cn

1269。姓名: 诸葛员际

住址（寺庙）：中国北京市大兴区寰员路 323 号锤阳寺（邮政编码：967906）。联系电话：48953214。电子邮箱：xpsju@rejbxtzw.god.cn

Zhù zhǐ: Zhūgě Yuán Jì Zhōng Guó Běijīng Shì Dàxīng Qū Huán Yún Lù 323 Hào Chuí Yáng Sì (Yóuzhèng Biānmǎ：967906). Liánxì Diànhuà：48953214. Diànzǐ Yóuxiāng：xpsju@rejbxtzw.god.cn

Yuan Ji Zhuge, Chui Yang Temple, 323 Huan Yun Road, Daxing District, Beijing, China. Postal Code: 967906. Phone Number：48953214. E-mail：xpsju@rejbxtzw.god.cn

1270。姓名: 梅大嘉

住址（酒店）：中国北京市东城区奎敬路 167 号化食酒店（邮政编码：451125）。联系电话：95246840。电子邮箱：mjfek@bidorgje.biz.cn

Zhù zhǐ: Méi Dài Jiā Zhōng Guó Běijīng Shì Dōng Chéng Qū Kuí Jìng Lù 167 Hào Huà Sì Jiǔ Diàn (Yóuzhèng Biānmǎ：451125). Liánxì Diànhuà：95246840. Diànzǐ Yóuxiāng：mjfek@bidorgje.biz.cn

Dai Jia Mei, Hua Si Hotel, 167 Kui Jing Road, Dongcheng Area, Beijing, China. Postal Code: 451125. Phone Number：95246840. E-mail：mjfek@bidorgje.biz.cn

1271。姓名: 蓝骥轶

住址（公司）：中国北京市昌平区柱南路 779 号大翼有限公司（邮政编码：393132）。联系电话：78941836。电子邮箱：ztyex@xjazbtvr.biz.cn

Zhù zhǐ: Lán Jì Yì Zhōng Guó Běijīng Shì Chāngpíng Qū Zhù Nán Lù 779 Hào Dài Yì Yǒuxiàn Gōngsī (Yóuzhèng Biānmǎ：393132). Liánxì Diànhuà：78941836. Diànzǐ Yóuxiāng：ztyex@xjazbtvr.biz.cn

Ji Yi Lan, Dai Yi Corporation, 779 Zhu Nan Road, Changping District, Beijing, China. Postal Code: 393132. Phone Number：78941836. E-mail：ztyex@xjazbtvr.biz.cn

1272。姓名: 尉迟锡翰

住址（公共汽车站）：中国北京市怀柔区淹钊路 617 号祥风站（邮政编码：730779）。联系电话：42055171。电子邮箱：qxmvs@tnfduhzv.transport.cn

Zhù zhǐ: Yùchí Xī Hàn Zhōng Guó Běijīng Shì Huáiróu Qū Yān Zhāo Lù 617 Hào Xiáng Fēng Zhàn（Yóuzhèng Biānmǎ：730779). Liánxì Diànhuà：42055171. Diànzǐ Yóuxiāng：qxmvs@tnfduhzv.transport.cn

Xi Han Yuchi, Xiang Feng Bus Station, 617 Yan Zhao Road, Huairou District, Beijing, China. Postal Code: 730779. Phone Number：42055171. E-mail：qxmvs@tnfduhzv.transport.cn

1273。姓名: 公良大禹

住址（博物院）：中国北京市石景山区尚石路 931 号北京博物馆（邮政编码：861090）。联系电话：93286287。电子邮箱：tgjfk@xcpybrtw.museums.cn

Zhù zhǐ: Gōngliáng Dà Yǔ Zhōng Guó Běijīng Shì Shíjǐngshān Qū Shàng Shí Lù 931 Hào Běijīng Bó Wù Guǎn（Yóuzhèng Biānmǎ：861090). Liánxì Diànhuà：93286287. Diànzǐ Yóuxiāng：tgjfk@xcpybrtw.museums.cn

Da Yu Gongliang, Beijing Museum, 931 Shang Shi Road, Shijingshan District, Beijing, China. Postal Code: 861090. Phone Number：93286287. E-mail：tgjfk@xcpybrtw.museums.cn

1274。姓名: 饶柱九

住址（火车站）：中国北京市海淀区学化路 938 号北京站（邮政编码：255165）。联系电话：77097631。电子邮箱：vplay@rcvxkhpj.chr.cn

Zhù zhǐ: Ráo Zhù Jiǔ Zhōng Guó Běijīng Shì Hǎidiàn Qū Xué Huā Lù 938 Hào Běijīng Zhàn（Yóuzhèng Biānmǎ：255165). Liánxì Diànhuà：77097631. Diànzǐ Yóuxiāng：vplay@rcvxkhpj.chr.cn

Zhu Jiu Rao, Beijing Railway Station, 938 Xue Hua Road, Haidian District, Beijing, China. Postal Code: 255165. Phone Number：77097631. E-mail：vplay@rcvxkhpj.chr.cn

1275。姓名: 太叔德守

住址（广场）：中国北京市朝阳区民翼路 548 号世龙广场（邮政编码：906112）。联系电话：71876013。电子邮箱：rdfhp@auntjsbz.squares.cn

Zhù zhǐ: Tàishū Dé Shǒu Zhōng Guó Běijīng Shì Zhāoyáng Qū Mín Yì Lù 548 Hào Shì Lóng Guǎng Chǎng（Yóuzhèng Biānmǎ：906112). Liánxì Diànhuà：71876013. Diànzǐ Yóuxiāng：rdfhp@auntjsbz.squares.cn

De Shou Taishu, Shi Long Square, 548 Min Yi Road, Chaoyang District, Beijing, China. Postal Code: 906112. Phone Number：71876013. E-mail：rdfhp@auntjsbz.squares.cn

1276。姓名: 曲超乙

住址（公共汽车站）：中国北京市平谷区征队路 721 号队科站（邮政编码：714112）。联系电话：92363791。电子邮箱：xgvsb@xiefckly.transport.cn

Zhù zhǐ: Qū Chāo Yǐ Zhōng Guó Běijīng Shì Pínggǔ Qū Zhēng Duì Lù 721 Hào Duì Kē Zhàn（Yóuzhèng Biānmǎ：714112). Liánxì Diànhuà：92363791. Diànzǐ Yóuxiāng：xgvsb@xiefckly.transport.cn

Chao Yi Qu, Dui Ke Bus Station, 721 Zheng Dui Road, Pinggu District, Beijing, China. Postal Code: 714112. Phone Number：92363791. E-mail：xgvsb@xiefckly.transport.cn

1277。姓名: 危波进

住址（广场）：中国北京市延庆区刚绅路 884 号食稼广场（邮政编码：236755）。联系电话：11747889。电子邮箱：azvke@eusxncom.squares.cn

Zhù zhǐ: Wēi Bō Jìn Zhōng Guó Běijīng Shì Yánqìng Qū Gāng Shēn Lù 884 Hào Yì Jià Guǎng Chǎng（Yóuzhèng Biānmǎ：236755). Liánxì Diànhuà：11747889. Diànzǐ Yóuxiāng：azvke@eusxncom.squares.cn

Bo Jin Wei, Yi Jia Square, 884 Gang Shen Road, Yanqing District, Beijing, China. Postal Code: 236755. Phone Number：11747889. E-mail：azvke@eusxncom.squares.cn

1278。姓名: 竺南风

住址（公园）：中国北京市门头沟区楚胜路 659 号游晖公园（邮政编码：860482）。联系电话：14305182。电子邮箱：vrzil@txkhiapf.parks.cn

Zhù zhǐ: Zhú Nán Fēng Zhōng Guó Běijīng Shì Méntóugōu Qū Chǔ Shēng Lù 659 Hào Yóu Huī Gōng Yuán (Yóuzhèng Biānmǎ：860482). Liánxì Diànhuà：14305182. Diànzǐ Yóuxiāng：vrzil@txkhiapf.parks.cn

Nan Feng Zhu, You Hui Park, 659 Chu Sheng Road, Mentougou District, Beijing, China. Postal Code: 860482. Phone Number：14305182. E-mail：vrzil@txkhiapf.parks.cn

1279。姓名: 白桥昌

住址（广场）：中国北京市通州区学焯路 419 号仲迅广场（邮政编码：832575）。联系电话：29461418。电子邮箱：hwnrc@wivkunmg.squares.cn

Zhù zhǐ: Bái Qiáo Chāng Zhōng Guó Běijīng Shì Tōngzhōu Qū Xué Chāo Lù 419 Hào Zhòng Xùn Guǎng Chǎng (Yóuzhèng Biānmǎ：832575). Liánxì Diànhuà：29461418. Diànzǐ Yóuxiāng：hwnrc@wivkunmg.squares.cn

Qiao Chang Bai, Zhong Xun Square, 419 Xue Chao Road, Tongzhou District, Beijing, China. Postal Code: 832575. Phone Number：29461418. E-mail：hwnrc@wivkunmg.squares.cn

1280。姓名: 越腾水

住址（公司）：中国北京市石景山区郁冠路 276 号鸣星有限公司（邮政编码：952760）。联系电话：96653353。电子邮箱：zwlmt@gbwuisze.biz.cn

Zhù zhǐ: Yuè Téng Shuǐ Zhōng Guó Běijīng Shì Shíjǐngshān Qū Yù Guān Lù 276 Hào Míng Xīng Yǒuxiàn Gōngsī（Yóuzhèng Biānmǎ：952760). Liánxì Diànhuà：96653353. Diànzǐ Yóuxiāng：zwlmt@gbwuisze.biz.cn

Teng Shui Yue, Ming Xing Corporation, 276 Yu Guan Road, Shijingshan District, Beijing, China. Postal Code: 952760. Phone Number：96653353. E-mail：zwlmt@gbwuisze.biz.cn

1281。姓名: 蒯刚智

住址（广场）：中国北京市怀柔区鹤辙路 389 号桥黎广场（邮政编码：562238）。联系电话：80636788。电子邮箱：amsqx@xptgykja.squares.cn

Zhù zhǐ: Kuǎi Gāng Zhì Zhōng Guó Běijīng Shì Huáiróu Qū Hè Zhé Lù 389 Hào Qiáo Lí Guǎng Chǎng（Yóuzhèng Biānmǎ：562238). Liánxì Diànhuà：80636788. Diànzǐ Yóuxiāng：amsqx@xptgykja.squares.cn

Gang Zhi Kuai, Qiao Li Square, 389 He Zhe Road, Huairou District, Beijing, China. Postal Code: 562238. Phone Number：80636788. E-mail：amsqx@xptgykja.squares.cn

1282。姓名: 毕山其

住址（湖泊）：中国北京市东城区浩跃路 611 号昌舟湖（邮政编码：218582）。联系电话：48937070。电子邮箱：lgjaw@uhdcnlpz.lakes.cn

Zhù zhǐ: Bì Shān Qí Zhōng Guó Běijīng Shì Dōng Chéng Qū Hào Yuè Lù 611 Hào Chāng Zhōu Hú（Yóuzhèng Biānmǎ：218582). Liánxì Diànhuà：48937070. Diànzǐ Yóuxiāng：lgjaw@uhdcnlpz.lakes.cn

Shan Qi Bi, Chang Zhou Lake, 611 Hao Yue Road, Dongcheng Area, Beijing, China. Postal Code: 218582. Phone Number：48937070. E-mail：lgjaw@uhdcnlpz.lakes.cn

1283。姓名: 路乐隆

住址（寺庙）：中国北京市平谷区豪熔路 735 号铭化寺（邮政编码：553255）。联系电话：44550410。电子邮箱：iopkm@zeknuvtm.god.cn

Zhù zhǐ: Lù Lè Lóng Zhōng Guó Běijīng Shì Pínggǔ Qū Háo Róng Lù 735 Hào Míng Huà Sì (Yóuzhèng Biānmǎ：553255). Liánxì Diànhuà：44550410. Diànzǐ Yóuxiāng：iopkm@zeknuvtm.god.cn

Le Long Lu, Ming Hua Temple, 735 Hao Rong Road, Pinggu District, Beijing, China. Postal Code: 553255. Phone Number：44550410. E-mail：iopkm@zeknuvtm.god.cn

1284。姓名: 蒲兆迅

住址（公司）：中国北京市门头沟区陶独路 212 号屹鸣有限公司（邮政编码：690131）。联系电话：78384162。电子邮箱：ygfce@tzjogfri.biz.cn

Zhù zhǐ: Pú Zhào Xùn Zhōng Guó Běijīng Shì Méntóugōu Qū Táo Dú Lù 212 Hào Yì Míng Yǒuxiàn Gōngsī (Yóuzhèng Biānmǎ：690131). Liánxì Diànhuà：78384162. Diànzǐ Yóuxiāng：ygfce@tzjogfri.biz.cn

Zhao Xun Pu, Yi Ming Corporation, 212 Tao Du Road, Mentougou District, Beijing, China. Postal Code: 690131. Phone Number：78384162. E-mail：ygfce@tzjogfri.biz.cn

1285。姓名: 庞涛甫

住址（酒店）：中国北京市昌平区进坤路 734 号自大酒店（邮政编码：930390）。联系电话：28644278。电子邮箱：uvlit@tqnjhuxo.biz.cn

Zhù zhǐ: Páng Tāo Fǔ Zhōng Guó Běijīng Shì Chāngpíng Qū Jìn Kūn Lù 734 Hào Zì Dà Jiǔ Diàn (Yóuzhèng Biānmǎ：930390). Liánxì Diànhuà：28644278. Diànzǐ Yóuxiāng：uvlit@tqnjhuxo.biz.cn

Tao Fu Pang, Zi Da Hotel, 734 Jin Kun Road, Changping District, Beijing, China. Postal Code: 930390. Phone Number：28644278. E-mail：uvlit@tqnjhuxo.biz.cn

1286。姓名: 太叔涛民

住址（机场）：中国北京市延庆区游立路 101 号北京柱亭国际机场（邮政编码：943120）。联系电话：17172510。电子邮箱：
bpdof@lcbzvxnw.airports.cn

Zhù zhǐ: Tàishū Tāo Mín Zhōng Guó Běijīng Shì Yánqìng Qū Yóu Lì Lù 101 Hào Běijīng Zhù Tíng Guó Jì Jī Chǎng（Yóuzhèng Biānmǎ：943120). Liánxì Diànhuà：17172510. Diànzǐ Yóuxiāng：bpdof@lcbzvxnw.airports.cn

Tao Min Taishu, Beijing Zhu Ting International Airport, 101 You Li Road, Yanqing District, Beijing, China. Postal Code: 943120. Phone Number：17172510. E-mail：bpdof@lcbzvxnw.airports.cn

1287。姓名: 利石祥

住址（寺庙）：中国北京市顺义区己谢路 788 号亭敬寺（邮政编码：733605）。联系电话：53002379。电子邮箱：xadsk@yrxguedf.god.cn

Zhù zhǐ: Lì Shí Xiáng Zhōng Guó Běijīng Shì Shùnyì Qū Jǐ Xiè Lù 788 Hào Tíng Jìng Sì（Yóuzhèng Biānmǎ：733605). Liánxì Diànhuà：53002379. Diànzǐ Yóuxiāng：xadsk@yrxguedf.god.cn

Shi Xiang Li, Ting Jing Temple, 788 Ji Xie Road, Shunyi District, Beijing, China. Postal Code: 733605. Phone Number：53002379. E-mail：xadsk@yrxguedf.god.cn

1288。姓名: 匡土沛

住址（酒店）：中国北京市密云区振磊路 902 号国甫酒店（邮政编码：283152）。联系电话：46160822。电子邮箱：gzicx@wtvoqzmg.biz.cn

Zhù zhǐ: Kuāng Tǔ Pèi Zhōng Guó Běijīng Shì Mìyún Qū Zhèn Lěi Lù 902 Hào Guó Fǔ Jiǔ Diàn（Yóuzhèng Biānmǎ：283152). Liánxì Diànhuà：46160822. Diànzǐ Yóuxiāng：gzicx@wtvoqzmg.biz.cn

Tu Pei Kuang, Guo Fu Hotel, 902 Zhen Lei Road, Miyun District, Beijing, China. Postal Code: 283152. Phone Number：46160822. E-mail：gzicx@wtvoqzmg.biz.cn

1289。姓名: 牧民跃

住址（火车站）：中国北京市门头沟区葆院路 560 号北京站（邮政编码：392173）。联系电话：42447414。电子邮箱：zlbdf@zicbypfm.chr.cn

Zhù zhǐ: Mù Mín Yuè Zhōng Guó Běijīng Shì Méntóugōu Qū Bǎo Yuàn Lù 560 Hào Běijīng Zhàn（Yóuzhèng Biānmǎ：392173). Liánxì Diànhuà：42447414. Diànzǐ Yóuxiāng：zlbdf@zicbypfm.chr.cn

Min Yue Mu, Beijing Railway Station, 560 Bao Yuan Road, Mentougou District, Beijing, China. Postal Code: 392173. Phone Number：42447414. E-mail：zlbdf@zicbypfm.chr.cn

1290。姓名: 钭淹屹

住址（广场）：中国北京市海淀区冕轶路 918 号庆坚广场（邮政编码：404868）。联系电话：38413279。电子邮箱：vnhql@hgatbein.squares.cn

Zhù zhǐ: Tǒu Yān Yì Zhōng Guó Běijīng Shì Hǎidiàn Qū Miǎn Yì Lù 918 Hào Qìng Jiān Guǎng Chǎng（Yóuzhèng Biānmǎ：404868). Liánxì Diànhuà：38413279. Diànzǐ Yóuxiāng：vnhql@hgatbein.squares.cn

Yan Yi Tou, Qing Jian Square, 918 Mian Yi Road, Haidian District, Beijing, China. Postal Code: 404868. Phone Number：38413279. E-mail：vnhql@hgatbein.squares.cn

CHAPTER 4: NAME, SURNAME & ADDRESSES (91-120)

1291。姓名: 左坤彬

住址（医院）：中国北京市通州区大铁路 421 号斌阳医院（邮政编码：943619）。联系电话：39423537。电子邮箱：ihxev@wjxmpnyz.health.cn

Zhù zhǐ: Zuǒ Kūn Bīn Zhōng Guó Běijīng Shì Tōngzhōu Qū Dài Fū Lù 421 Hào Bīn Yáng Yī Yuàn（Yóuzhèng Biānmǎ：943619). Liánxì Diànhuà：39423537. Diànzǐ Yóuxiāng：ihxev@wjxmpnyz.health.cn

Kun Bin Zuo, Bin Yang Hospital, 421 Dai Fu Road, Tongzhou District, Beijing, China. Postal Code: 943619. Phone Number：39423537. E-mail：ihxev@wjxmpnyz.health.cn

1292。姓名: 班智奎

住址（医院）：中国北京市昌平区石强路 143 号祥钢医院（邮政编码：139038）。联系电话：22481747。电子邮箱：gxazw@jgtdecpw.health.cn

Zhù zhǐ: Bān Zhì Kuí Zhōng Guó Běijīng Shì Chāngpíng Qū Dàn Qiǎng Lù 143 Hào Xiáng Gāng Yī Yuàn（Yóuzhèng Biānmǎ：139038). Liánxì Diànhuà：22481747. Diànzǐ Yóuxiāng：gxazw@jgtdecpw.health.cn

Zhi Kui Ban, Xiang Gang Hospital, 143 Dan Qiang Road, Changping District, Beijing, China. Postal Code: 139038. Phone Number：22481747. E-mail：gxazw@jgtdecpw.health.cn

1293。姓名: 缑斌易

住址（火车站）：中国北京市大兴区涛渊路 542 号北京站（邮政编码：953691）。联系电话：43758762。电子邮箱：yqjmk@gjvtkmux.chr.cn

Zhù zhǐ: Gōu Bīn Yì Zhōng Guó Běijīng Shì Dàxīng Qū Tāo Yuān Lù 542 Hào Běijīng Zhàn（Yóuzhèng Biānmǎ：953691). Liánxì Diànhuà：43758762. Diànzǐ Yóuxiāng：yqjmk@gjvtkmux.chr.cn

Bin Yi Gou, Beijing Railway Station, 542 Tao Yuan Road, Daxing District, Beijing, China. Postal Code: 953691. Phone Number：43758762. E-mail：yqjmk@gjvtkmux.chr.cn

1294。姓名: 慕轼波

住址（公园）：中国北京市海淀区盛臻路 911 号世豹公园（邮政编码：728663）。联系电话：25971113。电子邮箱：vlhoi@otwlxsbv.parks.cn

Zhù zhǐ: Mù Shì Bō Zhōng Guó Běijīng Shì Hǎidiàn Qū Shèng Zhēn Lù 911 Hào Shì Bào Gōng Yuán （Yóuzhèng Biānmǎ：728663）. Liánxì Diànhuà：25971113. Diànzǐ Yóuxiāng：vlhoi@otwlxsbv.parks.cn

Shi Bo Mu, Shi Bao Park, 911 Sheng Zhen Road, Haidian District, Beijing, China. Postal Code: 728663. Phone Number：25971113. E-mail：vlhoi@otwlxsbv.parks.cn

1295。姓名: 胥黎咚

住址（大学）：中国北京市朝阳区晖恩大学先其路 891 号（邮政编码：929679）。联系电话：47412419。电子邮箱：ufyso@hqjzmgoa.edu.cn

Zhù zhǐ: Xū Lí Dōng Zhōng Guó Běijīng Shì Zhāoyáng Qū Huī Ēn DàxuéXiān Qí Lù 891 Hào （Yóuzhèng Biānmǎ：929679）. Liánxì Diànhuà：47412419. Diànzǐ Yóuxiāng：ufyso@hqjzmgoa.edu.cn

Li Dong Xu, Hui En University, 891 Xian Qi Road, Chaoyang District, Beijing, China. Postal Code: 929679. Phone Number：47412419. E-mail：ufyso@hqjzmgoa.edu.cn

1296。姓名: 康炯鹤

住址（公园）：中国北京市门头沟区智白路 333 号原绅公园（邮政编码：489383）。联系电话：49293680。电子邮箱：qckhw@tdfgeosy.parks.cn

Zhù zhǐ: Kāng Jiǒng Hè Zhōng Guó Běijīng Shì Méntóugōu Qū Zhì Bái Lù 333 Hào Yuán Shēn Gōng Yuán（Yóuzhèng Biānmǎ：489383). Liánxì Diànhuà：49293680. Diànzǐ Yóuxiāng：qckhw@tdfgeosy.parks.cn

Jiong He Kang, Yuan Shen Park, 333 Zhi Bai Road, Mentougou District, Beijing, China. Postal Code: 489383. Phone Number：49293680. E-mail：qckhw@tdfgeosy.parks.cn

1297。姓名: 钭迅晗

住址（公司）：中国北京市东城区红领路 547 号冠铁有限公司（邮政编码：673841）。联系电话：80987354。电子邮箱：edtwm@fdncxwil.biz.cn

Zhù zhǐ: Tǒu Xùn Hán Zhōng Guó Běijīng Shì Dōng Chéng Qū Hóng Lǐng Lù 547 Hào Guān Fū Yǒuxiàn Gōngsī（Yóuzhèng Biānmǎ：673841). Liánxì Diànhuà：80987354. Diànzǐ Yóuxiāng：edtwm@fdncxwil.biz.cn

Xun Han Tou, Guan Fu Corporation, 547 Hong Ling Road, Dongcheng Area, Beijing, China. Postal Code: 673841. Phone Number：80987354. E-mail：edtwm@fdncxwil.biz.cn

1298。姓名: 段干翰隆

住址（寺庙）：中国北京市门头沟区启焯路 776 号浩勇寺（邮政编码：812024）。联系电话：98341571。电子邮箱：qzymd@kqgevzrl.god.cn

Zhù zhǐ: Duàngān Hàn Lóng Zhōng Guó Běijīng Shì Méntóugōu Qū Qǐ Zhuō Lù 776 Hào Hào Yǒng Sì（Yóuzhèng Biānmǎ：812024). Liánxì Diànhuà：98341571. Diànzǐ Yóuxiāng：qzymd@kqgevzrl.god.cn

Han Long Duangan, Hao Yong Temple, 776 Qi Zhuo Road, Mentougou District, Beijing, China. Postal Code: 812024. Phone Number：98341571. E-mail：qzymd@kqgevzrl.god.cn

1299。姓名: 羿先葛

住址（广场）：中国北京市平谷区红科路 886 号大辙广场（邮政编码：675727）。联系电话：99819889。电子邮箱：whvxq@rntpzfow.squares.cn

Zhù zhǐ: Yì Xiān Gé Zhōng Guó Běijīng Shì Pínggǔ Qū Hóng Kē Lù 886 Hào Dài Zhé Guǎng Chǎng（Yóuzhèng Biānmǎ：675727). Liánxì Diànhuà：99819889. Diànzǐ Yóuxiāng：whvxq@rntpzfow.squares.cn

Xian Ge Yi, Dai Zhe Square, 886 Hong Ke Road, Pinggu District, Beijing, China. Postal Code: 675727. Phone Number：99819889. E-mail：whvxq@rntpzfow.squares.cn

1300。姓名: 牧员白

住址（酒店）：中国北京市丰台区易大路 831 号钢全酒店（邮政编码：406883）。联系电话：57619566。电子邮箱：vzohm@uqsdymro.biz.cn

Zhù zhǐ: Mù Yún Bái Zhōng Guó Běijīng Shì Fēngtái Qū Yì Dài Lù 831 Hào Gāng Quán Jiǔ Diàn（Yóuzhèng Biānmǎ：406883). Liánxì Diànhuà：57619566. Diànzǐ Yóuxiāng：vzohm@uqsdymro.biz.cn

Yun Bai Mu, Gang Quan Hotel, 831 Yi Dai Road, Fengtai District, Beijing, China. Postal Code: 406883. Phone Number：57619566. E-mail：vzohm@uqsdymro.biz.cn

1301。姓名: 哈风化

住址（医院）：中国北京市昌平区渊食路 726 号奎己医院（邮政编码：556070）。联系电话：72337906。电子邮箱：fyboq@uknjgecv.health.cn

Zhù zhǐ: Hǎ Fēng Huà Zhōng Guó Běijīng Shì Chāngpíng Qū Yuān Sì Lù 726 Hào Kuí Jǐ Yī Yuàn（Yóuzhèng Biānmǎ：556070). Liánxì Diànhuà：72337906. Diànzǐ Yóuxiāng：fyboq@uknjgecv.health.cn

Feng Hua Ha, Kui Ji Hospital, 726 Yuan Si Road, Changping District, Beijing, China. Postal Code: 556070. Phone Number：72337906. E-mail：fyboq@uknjgecv.health.cn

1302。姓名: 骆鹤友

住址（公司）：中国北京市丰台区守钢路 821 号乙坤有限公司（邮政编码：218205）。联系电话：20540182。电子邮箱：lnvrh@xtqmpwgs.biz.cn

Zhù zhǐ: Luò Hè Yǒu Zhōng Guó Běijīng Shì Fēngtái Qū Shǒu Gāng Lù 821 Hào Yǐ Kūn Yǒuxiàn Gōngsī（Yóuzhèng Biānmǎ：218205）. Liánxì Diànhuà：20540182. Diànzǐ Yóuxiāng：lnvrh@xtqmpwgs.biz.cn

He You Luo, Yi Kun Corporation, 821 Shou Gang Road, Fengtai District, Beijing, China. Postal Code: 218205. Phone Number：20540182. E-mail：lnvrh@xtqmpwgs.biz.cn

1303。姓名: 古陶陶

住址（广场）：中国北京市昌平区咚焯路 567 号懂汉广场（邮政编码：398838）。联系电话：29736779。电子邮箱：zhsfm@ygaxpldi.squares.cn

Zhù zhǐ: Gǔ Táo Táo Zhōng Guó Běijīng Shì Chāngpíng Qū Dōng Zhuō Lù 567 Hào Dǒng Hàn Guǎng Chǎng（Yóuzhèng Biānmǎ：398838）. Liánxì Diànhuà：29736779. Diànzǐ Yóuxiāng：zhsfm@ygaxpldi.squares.cn

Tao Tao Gu, Dong Han Square, 567 Dong Zhuo Road, Changping District, Beijing, China. Postal Code: 398838. Phone Number：29736779. E-mail：zhsfm@ygaxpldi.squares.cn

1304。姓名: 柴友福

住址（火车站）：中国北京市房山区翼际路 323 号北京站（邮政编码：729321）。联系电话：48546377。电子邮箱：mnchs@jvurmewg.chr.cn

Zhù zhǐ: Chái Yǒu Fú Zhōng Guó Běijīng Shì Fáng Shān Qū Yì Jì Lù 323 Hào Běijīng Zhàn（Yóuzhèng Biānmǎ：729321）. Liánxì Diànhuà：48546377. Diànzǐ Yóuxiāng：mnchs@jvurmewg.chr.cn

You Fu Chai, Beijing Railway Station, 323 Yi Ji Road, Fangshan District, Beijing, China. Postal Code: 729321. Phone Number：48546377. E-mail：mnchs@jvurmewg.chr.cn

1305。姓名: 庄珂民

住址（寺庙）：中国北京市延庆区坡乙路 683 号中冠寺（邮政编码：784086）。联系电话：41993517。电子邮箱：nmepi@hferyxiu.god.cn

Zhù zhǐ: Zhuāng Kē Mín Zhōng Guó Běijīng Shì Yánqìng Qū Pō Yǐ Lù 683 Hào Zhòng Guàn Sì（Yóuzhèng Biānmǎ：784086). Liánxì Diànhuà：41993517. Diànzǐ Yóuxiāng：nmepi@hferyxiu.god.cn

Ke Min Zhuang, Zhong Guan Temple, 683 Po Yi Road, Yanqing District, Beijing, China. Postal Code: 784086. Phone Number：41993517. E-mail：nmepi@hferyxiu.god.cn

1306。姓名: 于兆茂

住址（酒店）：中国北京市丰台区熔仓路 733 号光斌酒店（邮政编码：793189）。联系电话：68843589。电子邮箱：pwsoh@bycfxsog.biz.cn

Zhù zhǐ: Yú Zhào Mào Zhōng Guó Běijīng Shì Fēngtái Qū Róng Cāng Lù 733 Hào Guāng Bīn Jiǔ Diàn（Yóuzhèng Biānmǎ：793189). Liánxì Diànhuà：68843589. Diànzǐ Yóuxiāng：pwsoh@bycfxsog.biz.cn

Zhao Mao Yu, Guang Bin Hotel, 733 Rong Cang Road, Fengtai District, Beijing, China. Postal Code: 793189. Phone Number：68843589. E-mail：pwsoh@bycfxsog.biz.cn

1307。姓名: 禹计郁

住址（机场）：中国北京市密云区智俊路 733 号北京跃阳国际机场（邮政编码：183479）。联系电话：34013071。电子邮箱：puhgs@afpixhvu.airports.cn

Zhù zhǐ: Yǔ Jì Yù Zhōng Guó Běijīng Shì Mìyún Qū Zhì Jùn Lù 733 Hào Běijīng Yuè Yáng Guó Jì Jī Chǎng（Yóuzhèng Biānmǎ：183479). Liánxì Diànhuà：34013071. Diànzǐ Yóuxiāng：puhgs@afpixhvu.airports.cn

Ji Yu Yu, Beijing Yue Yang International Airport, 733 Zhi Jun Road, Miyun District, Beijing, China. Postal Code: 183479. Phone Number：34013071. E-mail：puhgs@afpixhvu.airports.cn

1308。姓名：晏食陆

住址（公司）：中国北京市石景山区骥屹路 823 号九龙有限公司（邮政编码：611720）。联系电话：89591990。电子邮箱：xjytz@lbxtsdve.biz.cn

Zhù zhǐ: Yàn Yì Liù Zhōng Guó Běijīng Shì Shíjǐngshān Qū Jì Yì Lù 823 Hào Jiǔ Lóng Yǒuxiàn Gōngsī（Yóuzhèng Biānmǎ：611720). Liánxì Diànhuà：89591990. Diànzǐ Yóuxiāng：xjytz@lbxtsdve.biz.cn

Yi Liu Yan, Jiu Long Corporation, 823 Ji Yi Road, Shijingshan District, Beijing, China. Postal Code: 611720. Phone Number：89591990. E-mail：xjytz@lbxtsdve.biz.cn

1309。姓名：韦不陆

住址（寺庙）：中国北京市西城区豪珏路 657 号愈山寺（邮政编码：331414）。联系电话：22514205。电子邮箱：hmopd@hxwjoyla.god.cn

Zhù zhǐ: Wéi Bù Lù Zhōng Guó Běijīng Shì Xī Chéng Qū Háo Jué Lù 657 Hào Yù Shān Sì（Yóuzhèng Biānmǎ：331414). Liánxì Diànhuà：22514205. Diànzǐ Yóuxiāng：hmopd@hxwjoyla.god.cn

Bu Lu Wei, Yu Shan Temple, 657 Hao Jue Road, Xicheng District, Beijing, China. Postal Code: 331414. Phone Number：22514205. E-mail：hmopd@hxwjoyla.god.cn

1310。姓名：嵇光土

住址（家庭）：中国北京市房山区泽立路 761 号大刚公寓 34 层 590 室（邮政编码：883053）。联系电话：90327892。电子邮箱：homas@dlqsbtzn.cn

Zhù zhǐ: Jī Guāng Tǔ Zhōng Guó Běijīng Shì Fáng Shān Qū Zé Lì Lù 761 Hào Dà Gāng Gōng Yù 34 Céng 590 Shì (Yóuzhèng Biānmǎ：883053). Liánxì Diànhuà：90327892. Diànzǐ Yóuxiāng：homas@dlqsbtzn.cn

Guang Tu Ji, Room# 590, Floor# 34, Da Gang Apartment, 761 Ze Li Road, Fangshan District, Beijing, China. Postal Code: 883053. Phone Number：90327892. E-mail：homas@dlqsbtzn.cn

1311。姓名: 汤员队

住址（医院）：中国北京市丰台区征楚路 242 号化焯医院（邮政编码：626568）。联系电话：73123401。电子邮箱：icruz@tpynouvc.health.cn

Zhù zhǐ: Tāng Yuán Duì Zhōng Guó Běijīng Shì Fēngtái Qū Zhēng Chǔ Lù 242 Hào Huà Chāo Yī Yuàn（Yóuzhèng Biānmǎ：626568). Liánxì Diànhuà：73123401. Diànzǐ Yóuxiāng：icruz@tpynouvc.health.cn

Yuan Dui Tang, Hua Chao Hospital, 242 Zheng Chu Road, Fengtai District, Beijing, China. Postal Code: 626568. Phone Number：73123401. E-mail：icruz@tpynouvc.health.cn

1312。姓名: 葛隆人

住址（湖泊）：中国北京市平谷区中不路 375 号队奎湖（邮政编码：732443）。联系电话：20715507。电子邮箱：escxw@cfpvixtz.lakes.cn

Zhù zhǐ: Gě Lóng Rén Zhōng Guó Běijīng Shì Pínggǔ Qū Zhōng Bù Lù 375 Hào Duì Kuí Hú（Yóuzhèng Biānmǎ：732443). Liánxì Diànhuà：20715507. Diànzǐ Yóuxiāng：escxw@cfpvixtz.lakes.cn

Long Ren Ge, Dui Kui Lake, 375 Zhong Bu Road, Pinggu District, Beijing, China. Postal Code: 732443. Phone Number：20715507. E-mail：escxw@cfpvixtz.lakes.cn

1313。姓名: 裘宝人

住址（广场）：中国北京市大兴区先仓路 339 号己食广场（邮政编码：512575）。联系电话：99979065。电子邮箱：gqhkp@mopuvzlk.squares.cn

Zhù zhǐ: Qiú Bǎo Rén Zhōng Guó Běijīng Shì Dàxīng Qū Xiān Cāng Lù 339 Hào Jǐ Sì Guǎng Chǎng (Yóuzhèng Biānmǎ：512575). Liánxì Diànhuà：99979065. Diànzǐ Yóuxiāng：gqhkp@mopuvzlk.squares.cn

Bao Ren Qiu, Ji Si Square, 339 Xian Cang Road, Daxing District, Beijing, China. Postal Code: 512575. Phone Number：99979065. E-mail：gqhkp@mopuvzlk.squares.cn

1314。姓名: 居晗队

住址（酒店）：中国北京市东城区立淹路 460 号惟化酒店（邮政编码：528391）。联系电话：40909211。电子邮箱：ezvak@onctfhlx.biz.cn

Zhù zhǐ: Jū Hán Duì Zhōng Guó Běijīng Shì Dōng Chéng Qū Lì Yān Lù 460 Hào Wéi Huā Jiǔ Diàn (Yóuzhèng Biānmǎ：528391). Liánxì Diànhuà：40909211. Diànzǐ Yóuxiāng：ezvak@onctfhlx.biz.cn

Han Dui Ju, Wei Hua Hotel, 460 Li Yan Road, Dongcheng Area, Beijing, China. Postal Code: 528391. Phone Number：40909211. E-mail：ezvak@onctfhlx.biz.cn

1315。姓名: 万俟鸣葛

住址（广场）：中国北京市昌平区秀铭路 425 号红水广场（邮政编码：735521）。联系电话：52679077。电子邮箱：rfuod@gvftncde.squares.cn

Zhù zhǐ: Mòqí Míng Gé Zhōng Guó Běijīng Shì Chāngpíng Qū Xiù Míng Lù 425 Hào Hóng Shuǐ Guǎng Chǎng (Yóuzhèng Biānmǎ：735521). Liánxì Diànhuà：52679077. Diànzǐ Yóuxiāng：rfuod@gvftncde.squares.cn

Ming Ge Moqi, Hong Shui Square, 425 Xiu Ming Road, Changping District, Beijing, China. Postal Code: 735521. Phone Number：52679077. E-mail：rfuod@gvftncde.squares.cn

1316。姓名: 石立楚

住址（大学）：中国北京市丰台区亚独大学迅奎路 196 号（邮政编码：625305）。联系电话：74252903。电子邮箱：yfgzt@xlstpzob.edu.cn

Zhù zhǐ: Shí Lì Chǔ Zhōng Guó Běijīng Shì Fēngtái Qū Yà Dú DàxuéXùn Kuí Lù 196 Hào（Yóuzhèng Biānmǎ：625305). Liánxì Diànhuà：74252903. Diànzǐ Yóuxiāng：yfgzt@xlstpzob.edu.cn

Li Chu Shi, Ya Du University, 196 Xun Kui Road, Fengtai District, Beijing, China. Postal Code: 625305. Phone Number：74252903. E-mail：yfgzt@xlstpzob.edu.cn

1317。姓名: 冀郁岐

住址（家庭）：中国北京市顺义区际宝路 761 号人斌公寓 9 层 896 室（邮政编码：861606）。联系电话：92498865。电子邮箱：varxw@xmydljaz.cn

Zhù zhǐ: Jì Yù Qí Zhōng Guó Běijīng Shì Shùnyì Qū Jì Bǎo Lù 761 Hào Rén Bīn Gōng Yù 9 Céng 896 Shì (Yóuzhèng Biānmǎ：861606). Liánxì Diànhuà：92498865. Diànzǐ Yóuxiāng：varxw@xmydljaz.cn

Yu Qi Ji, Room# 896, Floor# 9, Ren Bin Apartment, 761 Ji Bao Road, Shunyi District, Beijing, China. Postal Code: 861606. Phone Number：92498865. E-mail：varxw@xmydljaz.cn

1318。姓名: 昝友盛

住址（机场）：中国北京市怀柔区舟涛路 753 号北京冠楚国际机场（邮政编码：893678）。联系电话：80571108。电子邮箱：xnkab@mvhjyltb.airports.cn

Zhù zhǐ: Zǎn Yǒu Chéng Zhōng Guó Běijīng Shì Huáiróu Qū Zhōu Tāo Lù 753 Hào Běijīng Guàn Chǔ Guó Jì Jī Chǎng (Yóuzhèng Biānmǎ: 893678). Liánxì Diànhuà: 80571108. Diànzǐ Yóuxiāng: xnkab@mvhjyltb.airports.cn

You Cheng Zan, Beijing Guan Chu International Airport, 753 Zhou Tao Road, Huairou District, Beijing, China. Postal Code: 893678. Phone Number: 80571108. E-mail: xnkab@mvhjyltb.airports.cn

1319。姓名: 阚奎游

住址（公司）：中国北京市怀柔区沛光路 693 号近仲有限公司（邮政编码: 661080）。联系电话：95028166。电子邮箱：omyrp@xmijzwak.biz.cn

Zhù zhǐ: Kàn Kuí Yóu Zhōng Guó Běijīng Shì Huáiróu Qū Pèi Guāng Lù 693 Hào Jìn Zhòng Yǒuxiàn Gōngsī (Yóuzhèng Biānmǎ: 661080). Liánxì Diànhuà: 95028166. Diànzǐ Yóuxiāng: omyrp@xmijzwak.biz.cn

Kui You Kan, Jin Zhong Corporation, 693 Pei Guang Road, Huairou District, Beijing, China. Postal Code: 661080. Phone Number: 95028166. E-mail: omyrp@xmijzwak.biz.cn

1320。姓名: 生立智

住址（寺庙）：中国北京市怀柔区铁铁路 381 号学仲寺（邮政编码: 810891）。联系电话：87924729。电子邮箱：qdvbj@fjmwovzu.god.cn

Zhù zhǐ: Shēng Lì Zhì Zhōng Guó Běijīng Shì Huáiróu Qū Tiě Tiě Lù 381 Hào Xué Zhòng Sì (Yóuzhèng Biānmǎ: 810891). Liánxì Diànhuà: 87924729. Diànzǐ Yóuxiāng: qdvbj@fjmwovzu.god.cn

Li Zhi Sheng, Xue Zhong Temple, 381 Tie Tie Road, Huairou District, Beijing, China. Postal Code: 810891. Phone Number: 87924729. E-mail: qdvbj@fjmwovzu.god.cn

CHAPTER 5: NAME, SURNAME & ADDRESSES (121-150)

1321。姓名: 拓跋郁庆

住址（公共汽车站）：中国北京市海淀区泽山路 515 号澜涛站（邮政编码：614901）。联系电话：16708054。电子邮箱：kmeqz@yreflkwv.transport.cn

Zhù zhǐ: Tuòbá Yù Qìng Zhōng Guó Běijīng Shì Hǎidiàn Qū Zé Shān Lù 515 Hào Lán Tāo Zhàn (Yóuzhèng Biānmǎ：614901). Liánxì Diànhuà：16708054. Diànzǐ Yóuxiāng：kmeqz@yreflkwv.transport.cn

Yu Qing Tuoba, Lan Tao Bus Station, 515 Ze Shan Road, Haidian District, Beijing, China. Postal Code: 614901. Phone Number：16708054. E-mail：kmeqz@yreflkwv.transport.cn

1322。姓名: 子车嘉沛

住址（寺庙）：中国北京市顺义区楚珂路 326 号毅其寺（邮政编码：829130）。联系电话：25008254。电子邮箱：wxlki@oribgtpx.god.cn

Zhù zhǐ: Zǐjū Jiā Bèi Zhōng Guó Běijīng Shì Shùnyì Qū Chǔ Kē Lù 326 Hào Yì Qí Sì (Yóuzhèng Biānmǎ：829130). Liánxì Diànhuà：25008254. Diànzǐ Yóuxiāng：wxlki@oribgtpx.god.cn

Jia Bei Ziju, Yi Qi Temple, 326 Chu Ke Road, Shunyi District, Beijing, China. Postal Code: 829130. Phone Number：25008254. E-mail：wxlki@oribgtpx.god.cn

1323。姓名: 赖红沛

住址（公共汽车站）：中国北京市朝阳区坡珏路 151 号迅淹站（邮政编码：946451）。联系电话：15839211。电子邮箱：efiso@vulofqtn.transport.cn

Zhù zhǐ: Lài Hóng Bèi Zhōng Guó Běijīng Shì Zhāoyáng Qū Pō Jué Lù 151 Hào Xùn Yān Zhàn (Yóuzhèng Biānmǎ：946451). Liánxì Diànhuà：15839211. Diànzǐ Yóuxiāng：efiso@vulofqtn.transport.cn

Hong Bei Lai, Xun Yan Bus Station, 151 Po Jue Road, Chaoyang District, Beijing, China. Postal Code: 946451. Phone Number：15839211. E-mail：efiso@vulofqtn.transport.cn

1324。姓名: 商晗中

住址（酒店）：中国北京市门头沟区熔计路 409 号亭计酒店（邮政编码：271710）。联系电话：49332307。电子邮箱：lmirk@blxnpwya.biz.cn

Zhù zhǐ: Shāng Hán Zhōng Zhōng Guó Běijīng Shì Méntóugōu Qū Róng Jì Lù 409 Hào Tíng Jì Jiǔ Diàn（Yóuzhèng Biānmǎ：271710). Liánxì Diànhuà：49332307. Diànzǐ Yóuxiāng：lmirk@blxnpwya.biz.cn

Han Zhong Shang, Ting Ji Hotel, 409 Rong Ji Road, Mentougou District, Beijing, China. Postal Code: 271710. Phone Number：49332307. E-mail：lmirk@blxnpwya.biz.cn

1325。姓名: 蒋翼沛

住址（湖泊）：中国北京市房山区威智路 568 号冠泽湖（邮政编码：984136）。联系电话：64913707。电子邮箱：oyfle@jesyozhx.lakes.cn

Zhù zhǐ: Jiǎng Yì Bèi Zhōng Guó Běijīng Shì Fáng Shān Qū Wēi Zhì Lù 568 Hào Guàn Zé Hú（Yóuzhèng Biānmǎ：984136). Liánxì Diànhuà：64913707. Diànzǐ Yóuxiāng：oyfle@jesyozhx.lakes.cn

Yi Bei Jiang, Guan Ze Lake, 568 Wei Zhi Road, Fangshan District, Beijing, China. Postal Code: 984136. Phone Number：64913707. E-mail：oyfle@jesyozhx.lakes.cn

1326。姓名: 宁超沛

住址（医院）：中国北京市石景山区桥振路 641 号屹中医院（邮政编码：921052）。联系电话：92533364。电子邮箱：nerlp@xnfpjweb.health.cn

Zhù zhǐ: Nìng Chāo Pèi Zhōng Guó Běijīng Shì Shíjǐngshān Qū Qiáo Zhèn Lù 641 Hào Yì Zhòng Yī Yuàn（Yóuzhèng Biānmǎ：921052）. Liánxì Diànhuà：92533364. Diànzǐ Yóuxiāng：nerlp@xnfpjweb.health.cn

Chao Pei Ning, Yi Zhong Hospital, 641 Qiao Zhen Road, Shijingshan District, Beijing, China. Postal Code: 921052. Phone Number：92533364. E-mail：nerlp@xnfpjweb.health.cn

1327。姓名: 笪翰禹

住址（火车站）：中国北京市密云区近金路 759 号北京站（邮政编码：617046）。联系电话：46355402。电子邮箱：alnjr@grpafqel.chr.cn

Zhù zhǐ: Dá Hàn Yǔ Zhōng Guó Běijīng Shì Mìyún Qū Jìn Jīn Lù 759 Hào Běijīng Zhàn（Yóuzhèng Biānmǎ：617046）. Liánxì Diànhuà：46355402. Diànzǐ Yóuxiāng：alnjr@grpafqel.chr.cn

Han Yu Da, Beijing Railway Station, 759 Jin Jin Road, Miyun District, Beijing, China. Postal Code: 617046. Phone Number：46355402. E-mail：alnjr@grpafqel.chr.cn

1328。姓名: 东郭陆盛

住址（医院）：中国北京市大兴区浩山路 527 号渊友医院（邮政编码：206315）。联系电话：82325872。电子邮箱：spigq@frjogkyz.health.cn

Zhù zhǐ: Dōngguō Lù Shèng Zhōng Guó Běijīng Shì Dàxīng Qū Hào Shān Lù 527 Hào Yuān Yǒu Yī Yuàn（Yóuzhèng Biānmǎ：206315）. Liánxì Diànhuà：82325872. Diànzǐ Yóuxiāng：spigq@frjogkyz.health.cn

Lu Sheng Dongguo, Yuan You Hospital, 527 Hao Shan Road, Daxing District, Beijing, China. Postal Code: 206315. Phone Number：82325872. E-mail：spigq@frjogkyz.health.cn

1329。姓名: 晏泽祥

住址（大学）：中国北京市丰台区发光大学自澜路 984 号（邮政编码：902880）。联系电话：48367128。电子邮箱：gpque@ubjlcrsd.edu.cn

Zhù zhǐ: Yàn Zé Xiáng Zhōng Guó Běijīng Shì Fēngtái Qū Fā Guāng DàxuéZì Lán Lù 984 Hào（Yóuzhèng Biānmǎ：902880). Liánxì Diànhuà：48367128. Diànzǐ Yóuxiāng：gpque@ubjlcrsd.edu.cn

Ze Xiang Yan, Fa Guang University, 984 Zi Lan Road, Fengtai District, Beijing, China. Postal Code: 902880. Phone Number：48367128. E-mail: gpque@ubjlcrsd.edu.cn

1330。姓名: 郝晖亮

住址（广场）：中国北京市通州区焯铁路 713 号仓焯广场（邮政编码：311231）。联系电话：28727874。电子邮箱：gnodx@ksplqmaz.squares.cn

Zhù zhǐ: Hǎo Huī Liàng Zhōng Guó Běijīng Shì Tōngzhōu Qū Zhuō Yì Lù 713 Hào Cāng Chāo Guǎng Chǎng（Yóuzhèng Biānmǎ：311231). Liánxì Diànhuà：28727874. Diànzǐ Yóuxiāng：gnodx@ksplqmaz.squares.cn

Hui Liang Hao, Cang Chao Square, 713 Zhuo Yi Road, Tongzhou District, Beijing, China. Postal Code: 311231. Phone Number：28727874. E-mail: gnodx@ksplqmaz.squares.cn

1331。姓名: 艾葛伦

住址（湖泊）：中国北京市昌平区员帆路 130 号民铁湖（邮政编码：997542）。联系电话：18464821。电子邮箱：scnju@pgzehkam.lakes.cn

Zhù zhǐ: Ài Gé Lún Zhōng Guó Běijīng Shì Chāngpíng Qū Yún Fān Lù 130 Hào Mín Fū Hú（Yóuzhèng Biānmǎ：997542). Liánxì Diànhuà：18464821. Diànzǐ Yóuxiāng：scnju@pgzehkam.lakes.cn

Ge Lun Ai, Min Fu Lake, 130 Yun Fan Road, Changping District, Beijing, China. Postal Code: 997542. Phone Number：18464821. E-mail: scnju@pgzehkam.lakes.cn

1332。姓名: 欧阳居宽

住址（博物院）：中国北京市朝阳区超智路 187 号北京博物馆（邮政编码：543024）。联系电话：17351923。电子邮箱：flrzq@sxzekjqc.museums.cn

Zhù zhǐ: Ōuyáng Jū Kuān Zhōng Guó Běijīng Shì Zhāoyáng Qū Chāo Zhì Lù 187 Hào Běijīng Bó Wù Guǎn（Yóuzhèng Biānmǎ：543024). Liánxì Diànhuà：17351923. Diànzǐ Yóuxiāng：flrzq@sxzekjqc.museums.cn

Ju Kuan Ouyang, Beijing Museum, 187 Chao Zhi Road, Chaoyang District, Beijing, China. Postal Code: 543024. Phone Number：17351923. E-mail：flrzq@sxzekjqc.museums.cn

1333。姓名: 狄浩源

住址（火车站）：中国北京市丰台区独来路 148 号北京站（邮政编码：479254）。联系电话：35890789。电子邮箱：qipyt@qypgnmxt.chr.cn

Zhù zhǐ: Dí Hào Yuán Zhōng Guó Běijīng Shì Fēngtái Qū Dú Lái Lù 148 Hào Běijīng Zhàn（Yóuzhèng Biānmǎ：479254). Liánxì Diànhuà：35890789. Diànzǐ Yóuxiāng：qipyt@qypgnmxt.chr.cn

Hao Yuan Di, Beijing Railway Station, 148 Du Lai Road, Fengtai District, Beijing, China. Postal Code: 479254. Phone Number：35890789. E-mail：qipyt@qypgnmxt.chr.cn

1334。姓名: 柏院跃

住址（公园）：中国北京市顺义区际绅路 282 号仓磊公园（邮政编码：178733）。联系电话：27481888。电子邮箱：egsun@bakmofjg.parks.cn

Zhù zhǐ: Bǎi Yuàn Yuè Zhōng Guó Běijīng Shì Shùnyì Qū Jì Shēn Lù 282 Hào Cāng Lěi Gōng Yuán（Yóuzhèng Biānmǎ：178733). Liánxì Diànhuà：27481888. Diànzǐ Yóuxiāng：egsun@bakmofjg.parks.cn

Yuan Yue Bai, Cang Lei Park, 282 Ji Shen Road, Shunyi District, Beijing, China. Postal Code: 178733. Phone Number：27481888. E-mail：egsun@bakmofjg.parks.cn

1335。姓名: 茹柱仓

住址（大学）：中国北京市房山区福沛大学郁彬路 708 号（邮政编码：158950）。联系电话：13949097。电子邮箱：mrbau@dtwlmbih.edu.cn

Zhù zhǐ: Rú Zhù Cāng Zhōng Guó Běijīng Shì Fáng Shān Qū Fú Pèi DàxuéYù Bīn Lù 708 Hào (Yóuzhèng Biānmǎ：158950). Liánxì Diànhuà：13949097. Diànzǐ Yóuxiāng：mrbau@dtwlmbih.edu.cn

Zhu Cang Ru, Fu Pei University, 708 Yu Bin Road, Fangshan District, Beijing, China. Postal Code: 158950. Phone Number：13949097. E-mail：mrbau@dtwlmbih.edu.cn

1336。姓名: 慕容土强

住址（公共汽车站）：中国北京市丰台区屹珏路 457 号翰自站（邮政编码：114893）。联系电话：26491732。电子邮箱：fcald@lmcagrdy.transport.cn

Zhù zhǐ: Mùróng Tǔ Qiǎng Zhōng Guó Běijīng Shì Fēngtái Qū Yì Jué Lù 457 Hào Hàn Zì Zhàn (Yóuzhèng Biānmǎ：114893). Liánxì Diànhuà：26491732. Diànzǐ Yóuxiāng：fcald@lmcagrdy.transport.cn

Tu Qiang Murong, Han Zi Bus Station, 457 Yi Jue Road, Fengtai District, Beijing, China. Postal Code: 114893. Phone Number：26491732. E-mail：fcald@lmcagrdy.transport.cn

1337。姓名: 澹台秀钦

住址（医院）：中国北京市怀柔区可歧路 970 号员居医院（邮政编码：753026）。联系电话：54547517。电子邮箱：amkfc@goiflcpq.health.cn

Zhù zhǐ: Tántái Xiù Qīn Zhōng Guó Běijīng Shì Huáiróu Qū Kě Qí Lù 970 Hào Yuán Jū Yī Yuàn (Yóuzhèng Biānmǎ: 753026). Liánxì Diànhuà: 54547517. Diànzǐ Yóuxiāng: amkfc@goiflcpq.health.cn

Xiu Qin Tantai, Yuan Ju Hospital, 970 Ke Qi Road, Huairou District, Beijing, China. Postal Code: 753026. Phone Number: 54547517. E-mail: amkfc@goiflcpq.health.cn

1338。姓名: 樊锡翰

住址（公共汽车站）：中国北京市门头沟区焯大路 912 号智懂站（邮政编码：562001）。联系电话：71224013。电子邮箱：irzkj@wldujpfo.transport.cn

Zhù zhǐ: Fán Xī Hàn Zhōng Guó Běijīng Shì Méntóugōu Qū Zhuō Dà Lù 912 Hào Zhì Dǒng Zhàn (Yóuzhèng Biānmǎ: 562001). Liánxì Diànhuà: 71224013. Diànzǐ Yóuxiāng: irzkj@wldujpfo.transport.cn

Xi Han Fan, Zhi Dong Bus Station, 912 Zhuo Da Road, Mentougou District, Beijing, China. Postal Code: 562001. Phone Number: 71224013. E-mail: irzkj@wldujpfo.transport.cn

1339。姓名: 宰父来乙

住址（火车站）：中国北京市朝阳区南祥路 686 号北京站（邮政编码：680386）。联系电话：86452047。电子邮箱：bfzmp@xcdzkvtr.chr.cn

Zhù zhǐ: Zǎifǔ Lái Yǐ Zhōng Guó Běijīng Shì Zhāoyáng Qū Nán Xiáng Lù 686 Hào Běijīng Zhàn (Yóuzhèng Biānmǎ: 680386). Liánxì Diànhuà: 86452047. Diànzǐ Yóuxiāng: bfzmp@xcdzkvtr.chr.cn

Lai Yi Zaifu, Beijing Railway Station, 686 Nan Xiang Road, Chaoyang District, Beijing, China. Postal Code: 680386. Phone Number: 86452047. E-mail: bfzmp@xcdzkvtr.chr.cn

1340。姓名: 充可强

住址（机场）：中国北京市丰台区先龙路 642 号北京兆辉国际机场（邮政编码：877283）。联系电话：44539630。电子邮箱：
kmhvg@howzqvju.airports.cn

Zhù zhǐ: Chōng Kě Qiǎng Zhōng Guó Běijīng Shì Fēngtái Qū Xiān Lóng Lù 642 Hào Běijīng Zhào Huī Guó Jì Jī Chǎng（Yóuzhèng Biānmǎ：877283). Liánxì Diànhuà：44539630. Diànzǐ Yóuxiāng：kmhvg@howzqvju.airports.cn

Ke Qiang Chong, Beijing Zhao Hui International Airport, 642 Xian Long Road, Fengtai District, Beijing, China. Postal Code: 877283. Phone Number：44539630. E-mail：kmhvg@howzqvju.airports.cn

1341。姓名: 言食彬

住址（医院）：中国北京市房山区不兵路 880 号食仲医院（邮政编码：346297）。联系电话：75417629。电子邮箱：mfjnb@oqsaftxu.health.cn

Zhù zhǐ: Yán Yì Bīn Zhōng Guó Běijīng Shì Fáng Shān Qū Bù Bīng Lù 880 Hào Yì Zhòng Yī Yuàn（Yóuzhèng Biānmǎ：346297). Liánxì Diànhuà：75417629. Diànzǐ Yóuxiāng：mfjnb@oqsaftxu.health.cn

Yi Bin Yan, Yi Zhong Hospital, 880 Bu Bing Road, Fangshan District, Beijing, China. Postal Code: 346297. Phone Number：75417629. E-mail：mfjnb@oqsaftxu.health.cn

1342。姓名: 乜陶钢

住址（机场）：中国北京市石景山区渊庆路 702 号北京帆宝国际机场（邮政编码：476520）。联系电话：94055512。电子邮箱：
sxgvb@rafqjtcy.airports.cn

Zhù zhǐ: Niè Táo Gāng Zhōng Guó Běijīng Shì Shíjǐngshān Qū Yuān Qìng Lù 702 Hào Běijīng Fān Bǎo Guó Jì Jī Chǎng（Yóuzhèng Biānmǎ：476520). Liánxì Diànhuà：94055512. Diànzǐ Yóuxiāng：sxgvb@rafqjtcy.airports.cn

Tao Gang Nie, Beijing Fan Bao International Airport, 702 Yuan Qing Road, Shijingshan District, Beijing, China. Postal Code: 476520. Phone Number：94055512. E-mail：sxgvb@rafqjtcy.airports.cn

1343。姓名: 邓柱龙

住址（广场）：中国北京市门头沟区锤陆路 467 号轼员广场（邮政编码：343702）。联系电话：54044269。电子邮箱：knfwm@mzosqdfh.squares.cn

Zhù zhǐ: Dèng Zhù Lóng Zhōng Guó Běijīng Shì Méntóugōu Qū Chuí Lù Lù 467 Hào Shì Yún Guǎng Chǎng（Yóuzhèng Biānmǎ：343702). Liánxì Diànhuà：54044269. Diànzǐ Yóuxiāng：knfwm@mzosqdfh.squares.cn

Zhu Long Deng, Shi Yun Square, 467 Chui Lu Road, Mentougou District, Beijing, China. Postal Code: 343702. Phone Number：54044269. E-mail：knfwm@mzosqdfh.squares.cn

1344。姓名: 南宫学浩

住址（湖泊）：中国北京市房山区居茂路 276 号成计湖（邮政编码：807424）。联系电话：86315082。电子邮箱：jpoec@ugqdmxvb.lakes.cn

Zhù zhǐ: Nángōng Xué Hào Zhōng Guó Běijīng Shì Fáng Shān Qū Jū Mào Lù 276 Hào Chéng Jì Hú（Yóuzhèng Biānmǎ：807424). Liánxì Diànhuà：86315082. Diànzǐ Yóuxiāng：jpoec@ugqdmxvb.lakes.cn

Xue Hao Nangong, Cheng Ji Lake, 276 Ju Mao Road, Fangshan District, Beijing, China. Postal Code: 807424. Phone Number：86315082. E-mail：jpoec@ugqdmxvb.lakes.cn

1345。姓名: 凤稼山

住址（博物院）：中国北京市昌平区进锡路 980 号北京博物馆（邮政编码：134241）。联系电话：12164541。电子邮箱：eotws@iloxutyw.museums.cn

Zhù zhǐ: Fèng Jià Shān Zhōng Guó Běijīng Shì Chāngpíng Qū Jìn Xī Lù 980 Hào Běijīng Bó Wù Guǎn (Yóuzhèng Biānmǎ：134241). Liánxì Diànhuà：12164541. Diànzǐ Yóuxiāng：eotws@iloxutyw.museums.cn

Jia Shan Feng, Beijing Museum, 980 Jin Xi Road, Changping District, Beijing, China. Postal Code: 134241. Phone Number：12164541. E-mail：eotws@iloxutyw.museums.cn

1346。姓名: 范不钢

住址（酒店）：中国北京市朝阳区王盛路 710 号铁南酒店（邮政编码：535056）。联系电话：61827194。电子邮箱：mwgya@gydojhqi.biz.cn

Zhù zhǐ: Fàn Bù Gāng Zhōng Guó Běijīng Shì Zhāoyáng Qū Wàng Shèng Lù 710 Hào Tiě Nán Jiǔ Diàn (Yóuzhèng Biānmǎ：535056). Liánxì Diànhuà：61827194. Diànzǐ Yóuxiāng：mwgya@gydojhqi.biz.cn

Bu Gang Fan, Tie Nan Hotel, 710 Wang Sheng Road, Chaoyang District, Beijing, China. Postal Code: 535056. Phone Number：61827194. E-mail：mwgya@gydojhqi.biz.cn

1347。姓名: 滑阳甫

住址（医院）：中国北京市门头沟区计国路 542 号翰化医院（邮政编码：677384）。联系电话：99183654。电子邮箱：xkirh@fqtumnrh.health.cn

Zhù zhǐ: Huá Yáng Fǔ Zhōng Guó Běijīng Shì Méntóugōu Qū Jì Guó Lù 542 Hào Hàn Huā Yī Yuàn (Yóuzhèng Biānmǎ：677384). Liánxì Diànhuà：99183654. Diànzǐ Yóuxiāng：xkirh@fqtumnrh.health.cn

Yang Fu Hua, Han Hua Hospital, 542 Ji Guo Road, Mentougou District, Beijing, China. Postal Code: 677384. Phone Number：99183654. E-mail：xkirh@fqtumnrh.health.cn

1348。姓名: 符翰彬

住址（博物院）：中国北京市昌平区游王路 522 号北京博物馆（邮政编码：604256）。联系电话：92119457。电子邮箱：plgqx@gwzktxyn.museums.cn

Zhù zhǐ: Fú Hàn Bīn Zhōng Guó Běijīng Shì Chāngpíng Qū Yóu Wáng Lù 522 Hào Běijīng Bó Wù Guǎn（Yóuzhèng Biānmǎ：604256). Liánxì Diànhuà：92119457. Diànzǐ Yóuxiāng：plgqx@gwzktxyn.museums.cn

Han Bin Fu, Beijing Museum, 522 You Wang Road, Changping District, Beijing, China. Postal Code: 604256. Phone Number：92119457. E-mail：plgqx@gwzktxyn.museums.cn

1349。姓名: 生盛坤

住址（医院）：中国北京市大兴区强炯路 415 号迅人医院（邮政编码：450721）。联系电话：45010519。电子邮箱：tdibo@ixbowmgc.health.cn

Zhù zhǐ: Shēng Shèng Kūn Zhōng Guó Běijīng Shì Dàxīng Qū Qiǎng Jiǒng Lù 415 Hào Xùn Rén Yī Yuàn（Yóuzhèng Biānmǎ：450721). Liánxì Diànhuà：45010519. Diànzǐ Yóuxiāng：tdibo@ixbowmgc.health.cn

Sheng Kun Sheng, Xun Ren Hospital, 415 Qiang Jiong Road, Daxing District, Beijing, China. Postal Code: 450721. Phone Number：45010519. E-mail：tdibo@ixbowmgc.health.cn

1350。姓名: 罗鸣骥

住址（公园）：中国北京市通州区独涛路 696 号汉坡公园（邮政编码：581876）。联系电话：44687014。电子邮箱：qnxid@qtihgszk.parks.cn

Zhù zhǐ: Luó Míng Jì Zhōng Guó Běijīng Shì Tōngzhōu Qū Dú Tāo Lù 696 Hào Hàn Pō Gōng Yuán（Yóuzhèng Biānmǎ：581876). Liánxì Diànhuà：44687014. Diànzǐ Yóuxiāng：qnxid@qtihgszk.parks.cn

Ming Ji Luo, Han Po Park, 696 Du Tao Road, Tongzhou District, Beijing, China. Postal Code: 581876. Phone Number：44687014. E-mail：qnxid@qtihgszk.parks.cn

Milton Keynes UK
Ingram Content Group UK Ltd.
UKHW051235010424
440421UK00012B/708